ことばが変われば
社会が変わる

中村桃子 Nakamura Momoko

★——ちくまプリマー新書
463

はじめに

「セクハラ」ということばがある。

残念なことに二〇二四年現在、テレビや新聞に「セクハラ」が登場しない日はない。あまりにもよく聞くことばなので、あるのが当たり前だと感じているかもしれない。

しかし、一九八〇年代まで日本には「セクハラ」ということばはなかった。「セクハラ」ということばがなかったから、セクハラはなかったのだろうか。そう考える人はほとんどいないだろう。むしろ、「セクハラ」ということばが広く使われるようになった結果、セクハラが目に見えるようになったのではないか。

「セクハラ」の例は、ことばには、社会の見方を変化させる力があることを教えてくれる。社会の見方が変われば、社会は変化する。新しいことばが、社会を変化させたのだ。

本書では、このように「ことばが変わったから社会が変わる」という現象に注目したい。

「社会反映論」と「社会構築論」

「ことばの変化」と「社会の変化」の関係については、大きく二つの考え方がある。

ひとつは、「社会が変わったからことばも変わる」という考え方だ。たとえば、コンピューターができたから、「コンピューター」という新しいことばが使われるようになる。

これは「社会反映論」と呼ぶことが出来る。「ことばは社会を反映している」という考え方だ。ことばと社会は別のもので、先に社会が変わってから、それに伴ってことばも変わる。

しかし、この考え方では「セクハラ」の例を説明することが出来ない。第一章で詳しく見るように、「セクハラ」は女性グループの小さな気づきと献身的な行動によって日本に紹介された。先に社会の方に、「セクハラ」を受け入れる変化が起きていたわけではないのだ。むしろ、社会の一部には「セクハラ」を否定する動きすらあった。

もうひとつは、「社会構築論」とも呼べる考え方だ。この考え方を唱えたのが、哲学者のミシェル・フーコーだ。第一章でも見るように、フーコーは、ことばは単に社会の変化を反映しているのではなく、ことばで語ることによって、その語っている現象が社会的に重要な概念になると指摘した。この、「言語」が「社会」を「構築」するという指摘は、物事の見方が百八十度変わることを意味する「コペルニクス的転回」になぞらえて、「言語論的転回」とも呼ばれる。

「セクハラ」の例で言えば、人々が「セクハラ」ということばを使い始めたことで、それまで長いあいだ放置されてきた行為が、被害者を苦しめる犯罪として社会的に重要な概念になった。

社会構築論は、ことばと社会は別々なのではなく、両者は密接に関係しており、社会変化がことばの変化をうながすと同時に、ことばの変化も社会変化をうながすという形で、両者の変化がお互いに影響を与えて、ことばと社会が一緒に変化していくと考える。

ことばが社会を変化させるメカニズム

ことばと社会の関係を考える上で社会構築論は魅力的だ。それは、社会反映論からは生まれない新しい問いを立てることができるようになるからだ。

たとえば「セクハラ」の場合を考えてみよう。社会反映論によれば、「社会のどのような変化がセクハラということばを普及させたのか」という問いが可能だが、先に見たように、これを特定するのは難しい。

一方、社会構築論に立つと「セクハラということばが広く使われるようになった結果、社会はどのように変わったのか」と問うことができる。ことばが社会をどのように変えたのかという問いだ。

読者の多くがご存じのように、「セクハラ」からは「パワハラ」や「アカハラ」などのことばが生まれ、今やこれらのことばなしには社会を理解することができないぐらい、私たちの生活は大きく変化した。

ことばが社会を変える力に注目することで、「パワハラ」や「アカハラ」の登場も含めた、「セクハラ後」の社会をより深く理解することが出来るようになるのだ。

もうひとつ、社会構築論から生まれる新しい問いの例は、「流行語」だ。

流行語は、社会変化の最先端を反映したものとみなされる。その時代を理解するために必要な、文字通りキーワードと言われるのもそのためだ。

若い読者の皆さんは、流行語をつくり出す点では、まさに時代の最先端を走っている。でも、ここでちょっと立ち止まって、流行語とは何なのか、社会の最先端を反映しているだけなのか、最先端でなくなったら忘れられていくだけなのか、少し広い視野から見てみるのもおもしろい。

そのひとつが、社会構築論から導き出される「流行語ということばの変化が、どのように社会を変えているのか」という問いだろう。

たとえば、ちょっと前からよく聞くことばに「女子」がある。本書では、第三章で取り上げている。「女子会」「女子旅」「女子力」にはじまって、「リケジョ」や「歴女《レキジョ》」。「四〇代女子」や「オトナ女子」では、少し年齢の高い女性も「女子」と呼ばれている。「女子力」は二〇〇九年に「流行語大賞」にノミネートされ、二〇一〇年には「女子会」が同賞を受賞した。

社会反映論に従えば、どのような社会変化が「女子」を流行《はや》らせたのかを問うことになる。「女子会」の流行に関しても、「女性が会食を楽しむ経済力を得たから」などのさまざまな社会変化がその理由として挙げられた。

一方、ことばは社会と互いに影響を与え合って変化していると考える社会構築論に立つと、右の問いに加えて、「「女子」ということばが流行った結果、社会はどのように変わったのか」、また、「「女子」は、どのように社会を変化させたのか」と問うことができる。「女子」を流行させた社会変化と、「女子」が流行った結果起こった社会変化の両方を見渡すことで、ひとつの流行語が引き起こした社会変化をより深く理解することが出来るようになるのだ。

このように本書では、「ことばが変わったから社会が変わる」という視点から、新しいことばの普及や流行語が起こす社会変化に注目することで、ことばが社会を変化させるメカニズムを明らかにしたい。

「言語変化」から「社会言語学的変化」へ

社会とことばの関係はさまざまな分野で研究されているが、本書は「社会言語学」という分野からこの関係を考える。

社会言語学は、その名のとおり、社会とことばの関係を扱う分野なのだが、その中でも、両者の関係をどのように理解するかについて、近年、大きな変革があった。

そのひとつは、これまで「言語変化（language change）」と呼ばれてきた現象を、「社会言語学的変化（sociolinguistic change）」として捉えなおそうという提案だ。[*1]

「言語変化」は、主に三つの考え方から理解されてきた。

第一に、言語と社会は別のものだと見なされてきた。先に挙げた「先に社会が変わってから、それに伴ってことばも変わる」という考え方に見られる理解だ。

第二に、ことばの発音や単語の形のような形式的な変化だけを「言語変化」とみなす傾向にあった。よく知られている例に「食べられる」を「食べれる」と省略する「ら抜きことば」がある。

「ら抜きことば」には、理由があるとも言われている。「られる」には、「〜される」という〈受け身〉の意味と、「〜できる」という〈可能〉の二つの意味がある。そのため、「食べられる」がどちらの意味か、あいまいな時があるからだ。「ら」を抜けば、「食べられる」は〈受け身〉の意味、「食べれる」は〈可能〉の意味、と区別できるようになる。

第三に、言語変化が社会に与える影響はほとんど問題にされなかった。「ら抜きことば」の場合も、それを正しい言い方として認めるかどうかが議論されることはあっても、「ら抜きことば」が広く用いられることで、社会がどのように変わるのかは問題にされなかった。

ことばの価値や使い方の変化に注目する

一方、「社会言語学的変化」は、次の四つに特徴付けられる。

第一に、言語と社会は密接に関係し合っていて、言語変化と社会変化はお互いに影響し合って起こっていると考える。社会構築主義に基づく考え方だ。

第二に、発音や単語のようなことばの形式だけではなく、(標準語や地域語のような)「言葉づかい」や、(写真やイラスト、動画のような)視覚イメージも「言語」に含める。

特に、現代では、視覚イメージが果たす役割が大きい。「言語」の概念を大きくすることで、より多くの社会言語学的変化を見逃さないようにする。

第三に、言語変化の社会的意義に注目する。社会的意義の典型例は、ことばに与えられている〈良い／悪い〉や〈正しい／間違っている〉のような価値や、ことばの使い方に関する規範（ルール）の変化だ。本書では、このような価値やルール、つまり、私たちが日本語に対して持っている意識の変化も取り上げている。

社会的意義に注目するため、たとえ発音や単語などの言語の形は変化していなくても、ことばの価値やことばの使い方のルールが変化していることを重視する。

たとえば、それまでもっぱら標準語で行われていたテレビのニュース番組に地域語が使われるようになったとする。この場合、標準語や地域語で使われる発音や単語などのことばの形式は変化していない。けれども、地域語でニュースが伝えられれば、その地域語の「ニュースでは使えない」という価値が変わり、さらに、ニュース番組というジャンルの「標準語で行わなければならない」という規範も変わる。

第四に、右のニュース番組の例からも分かるように、テレビのようなマスメディアや広告、インターネットやＳＮＳなどのメディアにおけることばの使われ方を重視している。新しいことばや流行語だけでなく、ことばの価値やことばの使い方のルールは、メディアでどのように使われるのか、また、視聴者がメディアのことばをどのように評価し、自分たちでどのように使うのかによって大きく異なってくるからだ。本書でも、若い読者に身近な広告やネットニュース、ＳＮＳに書き込まれた意見を積極的に取り上げている。

本書では、社会言語学的変化の観点から、新しいことばの使用や流行語に加えて、ことばに関わる価値やルールの変化が、社会を理解する枠組みや社会変化をうながしている様子を見ていきたい。

社会言語学的変化に関する研究で網羅されているすべての言語現象を取り上げることはできないが、読者の皆さんにとって身近な例を挙げることで、この新しい視点の醍醐《だいご》味《み》をお伝えしたい。

ことばが変わることにはどの社会でも強い抵抗がある

ここまでは、新しいことばや流行語が社会で使われていく例を見てきた。

一方で、ことばが変わることには、どの社会でも強い抵抗がある。新しいことばを使うことに対して、自覚して抵抗する場合だけでなく、なんとなく使うのに勇気がいるという感覚を持つ人も少なくない。その結果、長いあいだ「使いづらいなあ」と思っていてもなかなか変わらないことばがある。本書では、そのような抵抗感も取り上げている。たとえば、パートナーをどのように呼ぶかという問題だ。第六章で詳しく見ていくように、特に他人のパートナーをどう呼ぶのか、「奥さん／旦那さん」「妻さん／夫さん」「おつれあい」「パートナーの方」など、さまざまな呼び名のどれを使うか、悩んでいる人が多い。その結果、他の人がどの呼び名を使っているのか知りたいという気持ちがあるためか、パートナーの呼び名に関しては、毎年たくさんのオンラインアンケートが実施されている。

興味深いことに、それらのアンケートに書かれたたくさんの意見からは、私たちが日本語に対して持っている意識が浮き彫りになる。ちょうど、社会言語学的変化の第三の特徴で見た、ことばに与えられている〈良い／悪い〉や〈正しい／間違っている〉のような価値や、ことばの使い方に関するルールが浮き彫りになるのだ。

つまり、「パートナーの呼び名」という小さな言語現象を深掘りすると、私たちが日本語という言語にどのような意識で向き合っているのかが明らかになる。そして、そのような意識が「パートナーの呼び名」の問題がいつまでも解決しない一因であることが見えてくるのだ。

このように、ことばと社会が互いに影響を与えながら変化していく様子について考えることは、新しいことばや流行語が社会に与えるインパクトに気付かせてくれるだけでなく、ことばの変化に躊躇《ちゅうちょ》する私たちの意識も明らかにしてくれる。

本書の構成

本書は、大きく三つの部からなる。第一部の「ことばが社会を変える」では、社会を変えたことばの具体例を見ていく。

第一章では、社会を変えたことばの典型例として、「セクハラ」が日本社会に普及する過程を五つの段階に分けて見ていく。どのような人々が奮闘し、どのような妨害があったのか、そして、「セクハラ」は社会の何を変えたのかを明らかにする。さらに、「イケメン」や「DV（ドメスティックバイオレンス：家庭内暴力）」、「買春」や「性加害」などその他のことばも取り上げている。

第二章では、新しいことばを提案する以外の例として、「否定的なことばをあえて使う」と「ことばを増やす」という二つの方法を見ていく。前者の例として、「女」ということばの否定的な意味を取り上げる。後者の例として、セクシュアリティに関する五つの主要な考え方を見ることで、ことばを増やすことが、どのように性の二分法を乗り越える役に立つのか考える。

第二部では、ことばの意味が変化する三つの主要な過程、「意味の拡大」、「意味の規制」、「意味の漂白」を、それぞれの章で取り上げる。

第三章では、まず、「意味の拡大」の例として、「女・女性・婦人・女子」の意味の変化を把握する。次に、流行語が社会の異なる領域をつなげる過程を明らかにする。具体的には、マーケティングと保守運動における「女子」の使われ方を見ることで、この二つの領域がなだらかにつながるという社会変化を確認する。

第四章では、ことばが、既存の考え方を変更しないで済むように、意味をずらしていく「意味の規制」を見る。例として、脱毛広告で用いられている、「GIRLS POWER」

や「ガールズパワー」、また、「草食男子」の意味変化を探る。一方で、ことばから社会を改善しようとする女性たちの活動例として、「明日少女隊」の広辞苑《こうじえん》キャンペーンを紹介する。

第五章では、ことばの意味の一部がはがされる「意味の漂白」の例として、アメリカの移民や先住民の名前、日本の英語の授業で使われる「イングリッシュネーム」、さらに、中国名の日本語読みなどを取り上げる。また、略語や「バツイチ」、「パパ活」の意味がもたらす変化も考える。

第三部では、多くの人が「変えたい」と考えているのに「変えられない」言語現象の例として、配偶者やパートナーを指す呼び名の問題を取り上げる。この問題の背景には、私たちの日本語に対する「言語イデオロギー（言語意識）」があるからだ。

第六章では、いくつかの調査結果から、パートナーの呼び名問題の核心は、他人のパートナーの呼び方であることを明らかにする。その過程で、多くの話し手が、「「奥さま」や「ご主人さま」は避けたい」という自分の考えよりも、「他人のパートナーは丁寧に呼ぶ」という言葉づかいのルールを優先していることを示す。

第七章では、「おつれあい」や「妻さん／夫さん」、「パートナー」などの主従関係を表さない呼び名がなぜ普及しないのか、その理由を「正しい日本語」を最優先する話し手の言語イデオロギーから探る。「正しい日本語観」の二つの特徴を押さえることで、日本語に対してどのような意識改革ができるのか模索する。

本書が取り上げている例は変化していることばの一部であるが、本書をきっかけに、読者が「ことばと社会は、こんなに密接に関係して変化しているんだ」と実感し、読者自身が使っていることばが、どのように社会を変えているのか、また、なぜことばを変えられないのかに思いをはせていただけたら、これほどうれしいことはない。

なお、本書には、旧仮名づかいから引用したものが含まれているが、それらの中には、現代仮名づかいに変え、現代語に訳したものもある。また、引用部分で読者に注目していただきたい箇所には、傍線などを加えている場合がある。

目次 * Contents

はじめに

第二章 戦略としての「あえて」と「ラベル」

第二部　変わっていく意味——拡大・規制・漂白

第三章

流行語「女子」がもたらしたもの

第四章

“girl power”はなぜズレていったのか

第五章　誰が意味をはがされるのか

第七章 「パートナーの呼び名問題」解決編

第一部

ことばが社会を変える——「セクハラ」「イケメン」「クイア理論」

第一章　「セクハラ」は社会の何を変えた？

「ことばが社会を変える」ことを表している典型例が、日本社会に衝撃的な影響を与えた「セクハラ」ということばだ。

二〇二〇年代の現在では、ほとんどの人が「セクハラ」ということばを知っている。しかし、このことばがどのように普及したのかは、よく知られていないのではないだろうか。以下では、「セクハラ」ということばを広めたグループに所属していた丹羽《にわ》雅代《まさよ》の著作を参考に、「セクハラ」が普及した経緯をたどることで、ことばが社会を変化させるプロセスを見ていこう。[*1]

「この新しいことばが事態を激変させる」という確信

「セクシュアル・ハラスメント」ということばは、職場の性差別を考えていた女性のグループ「働くことと性差別を考える三多摩の会」（以下「三多摩の会」）によって、一九八〇年代に日本にもたらされた。

一九八六年に会のメンバーが、アメリカのデトロイトの「労働者教育と調査プロジェクト」が発行したパンフレット「セクシュアル・ハラスメントをやめさせるためのハンドブック」を持ち帰った。そこには、職場における性的嫌がらせのさまざまな事例が紹介されていた。セクシュアル・ハラスメントは、被害を受けた女性の仕事を奪い、人間の尊厳さえ奪う。それに対して、アメリカの女性たちが社会を動かし、裁判を起こし、法律を変えていった経緯も述べられていた。

パンフレットを読んだ「三多摩の会」のメンバーは、「これは私たちのことそのままだ」と衝撃を受けた。そして、日本の女性が、職場で受けている嫌がらせをなくすためには、「セクシュアル・ハラスメント」ということばが不可欠だと確信した。

つまり、第一段階では、「この新しいことばが事態を激変させる」という、「三多摩の会」の確信があったのだ。

この確信は、「セクハラ」ということばがない状態を想像してもらえば合点がいく。たとえば、職場でなぜか体を触ったり、しつこく食事に誘ったり、いやらしい冗談を言う社員がいる。上司だと、「やめてくれ」と怒るにも勇気がいる。人に相談しても「あなたにもすきがあるのでは」と言われてしまう。これは何なのか。なぜ、こんなことをされるのか。どうしたら、やめさせられるのか。我慢して体調を崩したり、解決できない自分に自尊心を失っていく。

しかし、「セクハラ」ということばが普及していれば、状況は変わる。まず、「これはセクハラだ」と自分の身に起こっている出来事を理解することができる。そして、「わたしはセクハラの被害にあっている」と人に相談することができる。また、非常に勇気のいることだが、相手に「これはセクハラです。やめてください」と言える可能性も出てくる。さらに、相手の言動を「セクハラ」という犯罪として裁判に訴えることもできるようになる。

「三多摩の会」の確信は、さらに多くの女性たちに共有された。一九八八年に「三多摩の会」がパンフレットを日本語に翻訳すると、企業や官庁の労働組合女性部や女性のミニコミ、女性ジャーナリストを通して、「セクシュアル・ハラスメント」が瞬く間に日本中の女性たちに広がった。

「セクハラ」の意味をめぐる闘争

さらに「三多摩の会」は、働く女性一万人を対象にアンケートを行い、回答してくれた約六五〇〇人の調査結果を公表した。[*2]

アンケートには、回答した女性の七〇％以上がセクハラの被害にあったこと、また、セクハラを受けた結果、「自分が下品になったようで、自己嫌悪を感じた」、「女であることがみじめだった」、「自分自身が殺されたような気がした」、「生きているのがいやになった」などの深刻な被害が綴《つづ》られていた。

「三多摩の会」は、調査という方法で、日本の女性が「セクシュアル・ハラスメント」と呼ぶべき被害にあっていることを示し、第一段階の「確信」を裏付けるデータを示したのだ。

「セクシュアル・ハラスメント」は「セクハラ」と短縮され、さらに多くの女性の支持を得て、その必要性が渇望される第二段階に入った。

しかし、この段階になると「セクハラ」の意味をめぐる闘争が始まる。性的嫌がらせをなくすためには、「セクハラ」ということばの意味が重要だ。「セクハラ」は〈性的嫌がらせという犯罪〉を指すという意味で普及させなければならない。それに対して、男性週刊誌などが、「セクハラ」ということばの意味を変えようとする報道を始めたのだ。

「セクハラ」を誤った意味で普及させようという試みは、主に二つの方法で行われた。

ひとつは、「セクハラはブスのひがみ」、「セクハラがいやならスカートはくな」、「仕事ができないやつほど言いたがる」のように、セクハラを、被害者である「女性の責任だ」とする動きだ。これらの記事は、その女性が「ブスだから、スカートをはいているから、仕事ができないから」、嫌がらせにあうのだと言う。

もうひとつは、「セクハラ、セクハラとオーバーな」など、セクハラを大したことではないとする動きだ。また、「女は男に認められてこそナンボ」という記事もあった。男性に女として認められているのだから、むしろ喜ぶべきだという、男性優位を前提として、これもセクハラを軽く見る報道だ。つまり、「セクハラ」という新しいことばを、〈性的嫌がらせ〉という意味で使おうとする人々が増加したことに反応して、このことばの意味をゆがめようとする動きが出現するという第三段階になったのだ。

一方で、セクハラが深刻な犯罪であるという認識が広がるにつれ、被害者が裁判に訴え始める。早い例のひとつに、一九八九〜九二年に行われた福岡事件がある。これは、性的行為ではなくことばによる嫌がらせだった。前述のアンケートも書証として提出され、多くの支援者が動いた。その結果、裁判所は被害のほとんどを認め、全面的に原告女性が勝訴した。また、裁判所は、会社側にも労働環境に配慮しなかった責任を認めた。[*3]「福岡事件からの一〇年間で、全国のセクシュアル・ハラスメント裁判は一〇〇件以上に上ると言われる」。[*4]このように、司法の判断が、「セクハラなど大したことではない」という意味づけが誤りであることを明らかにしたのが、第四段階だ。

セクハラを防止する義務と法改正

さらに、セクハラのない職場環境を整える責任が企業にあることを明確にしたのが、一九九六年にアメリカ・イリノイ州の米国三菱《みつびし》自動車に対して行われたセクハラ集団訴訟だ。アメリカの連邦雇用機会均等委員会（ＥＥＯＣ）が、米国三菱の自動車工場でセクハラが蔓延《まんえん》していると訴えたのだ。被害者が多数だったため、三菱自動車は和解のために三四〇〇万ドル（約四九億円）を支払った。その他にも、アメリカにあるいくつかの日本企業がセクハラ訴訟で訴えられ、多額の和解金を支払った。

そのため、企業の中には、セクハラへの対応を危機管理のひとつと認識したところもあった。訴えられたら多額の賠償金を支払わなければならないので、そのような「危機」に陥らないようにしておかなければならないという発想だ。企業を守るために、「セクハラ」の明確な定義や必要な施策が求められた。

一方で、多くの被害者や支援者が勇気を振り絞って声を挙げたため、セクハラは危機管理ではなく、人権問題であるという理解も徐々に広がっていった。ここでも「セクハラ」を〈危機管理〉と理解するのか、〈人権問題〉と理解するのかという意味の闘争が見られる。

これら双方からの要望もあり、政府は雇用側にセクシュアル・ハラスメントを防止する義務があるとする法改正を行った。一九九八年に男女雇用機会均等法が改正された時には、セクハラを防止するために、「事業主に雇用管理上の配慮義務」が規定された。この「事業主」には、会社や学校、スポーツ団体や宗教団体を含む、人を雇っているすべての機関が含まれる。これらの事業主にはセクハラを事前に防止する義務があるとされたのだ。若い読者は、自分が出入りする可能性のある、学校やスポーツ団体が含まれていることを覚えておいてほしい。

また、二〇〇六年には、「セクシュアルハラスメント防止のために事業主に雇用管理上必要な措置を講ずること」が義務付けられた。事業主は、セクハラに対する研修を実施し、相談窓口を設け、セクハラに適切に対処しなければならない。この第五段階に至り、セクハラが、労働者に「不利益」を与え、その就労環境を「害する」「性的な言動」だと規定された。

このように見てくると、私たちが当たり前のように使っている「セクハラ」ということばを大切にしなければと思う。「セクハラ」が日本社会に普及する過程には、多くの横やりや困難があった。けれども、たくさんの人たちが献身的に努力して、このことばのあるべき意味を守ったのだ。

哲学者のミシェル・フーコーは、言説《げんせつ》とは「言説によって語られる諸対象を体系的に形成＝編制する実践」であると指摘している。[*5] つまり、言説（ことばで語ること）によって、ある現象が社会的に重要な概念になる。「セクハラ」の場合も、多くの人がこのことばの重要性について語り続けることで、社会に受け入れられていったのだ。

新しいことばは新しい考え方を提案する

しかし、残念ながら、「セクハラ」ということばが普及したからといって、セクハラがなくなったわけではない。では、「セクハラ」は何を変えたのか。ことばは、社会の何を変えることができるのか。

それは、ものごとを理解する新しい考え方を提案することで、社会を変えるという方法だ。「セクハラ」によってもたらされた最も重要な変化は、職場の人間関係を理解する新しい枠組みを提供したことだ。何よりも、「セクハラ」の〈権力関係を利用した性的な嫌がらせ〉という意味は、「職場の権力関係」の概念を大きく変えた。

それまでの職場は、部下が上司の指示に従うことで回っていた。しかし、「セクハラ」は、たとえ上司でも、性的嫌がらせのような、部下の人権を侵害する行為は許されないことを明確にした。つまり、「上司はその権力を利用して部下に嫌がらせをすることはできない」という考え方が共有されたのだ。

このように、新しいことばは、直接社会を変えるのではなく、新しい考え方を提案することで間接的に社会を変えていく。この「新しいことば」→「新しい考え方」→「社会変化」という仕組みを受け入れると、ことばの重要性が見えてくる。

「セクハラ」が職場の権力関係を理解する新しい枠組みを提供したことは、「セクハラ」に続いて使われるようになったのが、「アカハラ（アカデミック・ハラスメント）」や「パワハラ（パワー・ハラスメント）」という、同じように〈権力関係を利用した嫌がらせ〉を指すことばであることからも明らかだ。「アカハラ」は、学校や大学で、教師や教授がその権力を利用して生徒や学生に嫌がらせをすることを指す。[*6]「パワハラ」は、すべての「パワー（権力）」に基づく嫌がらせを指し、概念的には「セクハラ」と「アカハラ」も「パワハラ」に含まれる。

これらのことばが生まれた背景には、「セクハラ」がもたらした新しい視点がある。人々が、「セクハラ」の〈権力関係を利用した嫌がらせ〉という視点から人間関係を見直した結果、性的嫌がらせに限らない、さまざまな嫌がらせが見えてきたのだ。

なかでも「パワハラ」の出現は、私たちのハラスメントに対する姿勢に大きな変革をもたらした。誰もが加害者として糾弾される可能性だ。これまでは、権力のある人が問題視され、権力者でない人は加害者になると思われていなかった。しかし、権力は、特定の人が所有しているのではなく、時と場合に応じて、いろいろな人間関係のなかに遍在している。

上司と部下の関係でも、会社では上司に権力があるかもしれないが、今度は部下が取引先に難題を強要すれば、部下が権力を行使することになる。学校のスポーツクラブでも、もっとも権力があるのは監督かもしれないが、上級生が下級生に嫌がらせをする場合もある。大切なのは、誰もがハラスメントを行う可能性があることを認めることだろう。

大人の女性社員を「女の子」と呼ぶこと

新しいことばが新しい理解をもたらすのならば、古いことばをそのまま使い続けることは、物事を見る視点を古いままにしておくことになる。

たとえば、女性社員を「女の子」と呼ぶ職場があった。女性たちは、「女の子」は子どもを指すことばなので「女の子と呼ばないでほしい」と要望した。それに対して、「ことばは記号だ。ことばを変えても、女性社員の給料が上がるわけじゃない」という反論が出た。現在でも女性の給料は男性の七割しかない。この反論の前提には、ことばを変えることを、直接「昇給」という「社会変化」に結びつける考え方がある。

しかし、先に見た「ことばを変えることは、物事を理解する別の視点をもたらすという形で、間接的に社会変化をもたらす」という考え方に従えば、違う解釈ができる。

大人の女性社員を「女の子」と呼ぶことは、その職場に、「女性は（子どものように）半人前だ」という考え方を共有させる。半人前ならば、給料が男性より少なくても仕方がないという風潮になるかもしれない。一方、「○○さん」と男性と同じように呼び始めれば、女性も一人前の仕事をしているという理解が生まれる。その結果、女性の給料が男性より低いことに疑問を持つ人が出るかもしれない。何より、社員としてのプライドは大違いだ。

「セクハラ」ということばがなくても、これらの社会変化が可能になったのか、それは分からない。しかし、「セクハラ」が社会変化をうながす原動力になったことは否定できない。

一九八六年の男女雇用機会均等法以降、二〇〇二年に日本政府は女性のみを対象とした職業名、たとえば、「看護婦、スチュワーデス、保母」を「看護師、客室乗務員、保育士」に変更し、これらの職種への男性の就業を促進した。これも、まずはことばを変えることで意識を変えていく戦略だ。

また、二〇一〇年代には、電車内で「ちかんは犯罪です」という放送が行われるようになった。それまで、〈ささいなこと〉とされてきた「ちかん」の意味が〈犯罪〉と再定義された瞬間だった。初めて聞いたときには、感動した。再定義が人々の意識をくつがえし、多くの被害者や周りにいる人々に声を挙げる勇気を与えたのだ。

男性も「見られる客体」になった

「イケメン」ということばも、「男性が見る主体で、女性が見られる客体」という考え方が、「女性も男性も見られる客体」へと変化したことを象徴している。

男性ダンサーを前面に出したクラシックバレエ公演の広告(『朝日新聞』二〇一六年六月二七日付、二八頁)

一九八〇年代後半には、女性雑誌によるジュノン・スーパーボーイ・コンテストが始まり、「見られる男性・見る女性」という構図が若年層に定着した。[*7]「イケメン」が台頭してきた二〇〇〇年代は、「日本のあらゆる男性が(……)他者(まずもって女性)からの〈眼差しの客体〉にされていく時期であった」[*8]。

私がこの変化を痛感したのは、二〇一六年に新聞に載ったクラシックバレエ公演の広告を見た時だ。それまで、クラシックバレエと言えば、少女マンガを筆頭に、女性ダンサーが中心で、白いタイツの男性ダンサーは、失礼なことに、女性ダンサーの引き立て役のような印象だった。

ところが、この広告では、上半身裸の白タイツの男性ダンサーが、女性ダンサーよりもずっと大きく写真で紹介されている。女性ダンサーが顔だけなのに比べて、四人は全身で、ひとりは上半身の写真だ。広告全体はピンクの地色で、女性客を意識していることが分かる。広告が掲載されたことを紹介した劇場のウェブページには、「われらがエトワール・ガラの誇る麗しい男性ダンサーが前面に配されたレイアウトは保存版です⁉」とある[*9]。つまり、この広告は、男性の身体、特に、白人男性の身体が、公演の目玉として日本の女性客にアピールされるようになったことを示しているのだ。

もちろん、今でも女性が圧倒的に見られる客体であることに変わりはない。「今日も暑かった」や「風が強かった」というテレビのニュースで、街中を歩く群衆から最初にフォーカスされるのは、たいがい、若い女性だ。海開きのニュースで、ビーチにあふれる海水浴客から最初にフォーカスされるのも、たいがい、ビキニを着た若い女性だ。

それを観て私は、「ああ、カメラマンが男性なんだな」と思う。こんな映像を生まれたときから何万回も観てきたら、視聴者は、女も男も、女性を「見る対象」とみなすようになるだろう。

一方で、「男性も見られる客体になった」という変化を知ってから、理解できるようになった現象がある。

私が家の近くの川岸で体操をしていると、川の反対側を歩いている高齢男性が次々と私を凝視していく。自分は前に進んでいるので、首が九〇度まで曲がってしまう。これ以上首が曲がらないところまで来ると、自分がそれほど熱心に人を見ていたことに気付くのか、びっくりしたように前を向く。この行動は七〇代以上の高齢男性に限られる。最初は、なぜこれほどぶしつけに人を見ることができるのか不思議だったが、次第に、これは高齢男性が、「見られる客体」になるという経験をしたことがないからではないかと思い至った。この年代の男性は、まだ「見られる男性」視点を体得していない。男性は女性を見る権利があるが、自分も女性から見られていると思っていないので、女性である私を首が曲がるまで見続けるのではないか。

そこで私も、体操をしながら相手を凝視してみた。「あなたも見られていますよ」というメッセージだ。その結果、どうなったか。少なくとも首が曲がってしまう人はいなくなったように感じるのは、気のせいだろうか。

「イケメン」の普及の仕方は、「セクハラ」とは異なる。「セクハラ」は人権問題を解決したいという運動が原点にあるが、「イケメン」の原動力の多くは企業のマーケティングだ。先に挙げた女性雑誌だけでなく、男性向け化粧品やファッション、エステサロンなどの広告は、人口の半分を占める男性に「見られる」ことを意識させるメッセージであふれている。[*10] 企業の広告がことばを通して社会を変化させる影響については、第四章でも詳しく取り上げる。

「伝統」や「習慣」をカラッと転換させるカタカナ語

「セクハラ」の例で見たように、新しい「ことば」によって新しい視点が共有されると、その視点を反映した法律が制定されることがある。

たとえば、「ストーカー」ということばは、個人や団体に対する執拗《しつよう》なつきまといが殺人にまで至る可能性を明確にし、ストーカー行為などを規制する法律の成立に結びついた（二〇〇〇年）。また、「DV」や「デートDV（デート中の暴力）」ということばは、配偶者や恋人からの暴力を防止し、被害者を保護する法律の成立をうながした（二〇〇一年）。

　これらのことばがもたらしたのは、「公／私」の区別を崩す視点だ。それまで、「恋愛」や「夫婦関係」は、公権力が介在すべきでない私的領域だとみなされていた。夫に肋骨《ろっこつ》を折られた妻が警察に通報しても、「夫婦げんか」だと言われ、警察は夫を拘束しなかった。しかし、「ＤＶ」や「デートＤＶ」ということばは、たとえ私的な空間や関係においても、暴力は犯罪であることを明らかにしたのだ。

　これまで見てきた新しいことばに、カタカナが多いのは、それが国外からもたらされたことばだからだ。「セクハラ」の場合も、アメリカのハンドブックや訴訟が、このことばの普及に影響を与えた。これは、カタカナで国外の視点を導入する方法が有効であることを示している。当たり前になってしまっている、「これが日本の、この地域の、この会社のやり方だから」という視点をカラっと転換させるには、カタカナ語が向いている。「伝統」や「習慣」も、広い視野から見直していく必要があるのだろう。

被害者ではなく加害者に視点を移動させることば

カタカナではないが、日本社会に大きな視点の転換をもたらしたことばに「買春」がある。それまで、金銭を媒介にしたセックスは「売春」と呼ばれ、その職業に従事する人は「売春婦」と呼ばれていた。これらの語は、セックスを「売る人」に焦点を当てていたので、人々の意識は、「売る人」に集中した。週刊誌には、「なぜ、この女性は売春をするようになったのか」という記事が多かった。一方、金銭を支払ってセックスを「買う人」は、「客」や「男性」と呼ばれて、「なぜ、この男性は売春を買うのか」と問われることはまれだった。

しかし、金銭を媒介にしたセックスは「売る人」と「買う人」によって成立する。一九七〇年代、女性たちはアジアへのセックス・ツアーに大挙して参加していた日本男性にあきれて、セックスを「買う人」の責任を明確にするために、「買春」と「買春夫」ということばを提案した。[*11]

当初、「売春」と同じ「ばいしゅん」と読まれていた「買春」は、「売春」との違いを明確にするために「かいしゅん」とも読まれるようになる。

「買春」と「買春夫」ということばは、金銭を媒介にしたセックスを理解する視点を、「売る人」から「買う人」に移動させた。この視点の移動は、買う人の責任を問う姿勢を導き、一九九九年には、一八歳以下の者に対する買春を禁じる「児童買春・児童ポルノ禁止法」の成立につながった。

新しいことばが、出来事や関係を理解する新しい考え方を提供したことで、その考え方に賛同する人々の努力もあり、社会のルールのひとつである法律が変わったのだ。「買春」に見られるような視点の移動は、近年用いられるようになった「性加害」ということばによっても表現されている。それまで「性被害」と言われることはあったが、「性加害」は二〇二〇年代に多用されるようになった。「性加害」は、被害者ではなく加害者に視点を移動することで、加害者の責任を追及しようとすることばだと言える。

本章では、「セクハラ」ということばを例に、ことばが新しい考え方や視点を導入することで、社会を変える過程を確認した。本章で見たのは、「セクハラ」をはじめとして、新しいことばを提案した例だ。次章では、新しいことばを提案する以外に、社会を変えるために試みられた方法を見ていこう。

第二章　戦略としての「あえて」と「ラベル」

第一章では、新しいことばを提案することで、社会を変える試みを見た。新しいことばを提案する以外にも、ことばを変えることで社会を変える方法がたくさんある。本章では（1）否定的なことばをあえて使う、（2）ラベルを増やす、という方法を見ていく。

「男になる、男にする」と「女になる、女にする」

最初に見るのは、自分たちにあてがわれた否定的なことばをあえて使うことで、ことばの意味をひっくり返してしまおうという試みだ。典型例は、「女」だ。だが、「女」ということばの、どこが否定的なのだろう。

「女」と「男」は、日本語で男女を表す最も一般的な語だが、実は、この二つのことばには、大きな意味の違いがある。[*1] それは、「男になる、男にする」と「女になる、女にする」という表現を比較するとよく分かる。

「男になる」には、二つの解釈が可能だ。ひとつは、〈セックスを経験する〉という性的意味だが、もうひとつ、能力や可能性を証明して〈一人前の男になる〉という解釈がある。

駒澤大学陸上部の大八木弘明《ひろあき》監督（当時）は、箱根駅伝などで、運営管理車から選手に向けて「男だろ！」と声をかけることで知られている。[*2]「男だろ！」が選手を鼓舞する表現として使えるのは、「男」に〈一人前の男としての能力や可能性〉という肯定的な意味があるからだ。

一方、「女」には、性的解釈しか当てはまらない。「女になる」は〈セックスを経験する〉、あるいは〈生理が始まる〉と解釈され、〈一人前の女になる〉という意味には解釈されない。だから、スポーツの監督は選手を鼓舞するために「女だろ！」とは言わないのだ。

同じ違いは「女にする」と「男にする」という表現にも見られる。「女にする」には〈性的関係を持つ〉という解釈しかないが、「男にする」には〈性的関係を持つ〉と〈一人前の男にする〉という二つの解釈が可能だ。

二〇二一年に開催された東京オリンピックの柔道で金メダルをとった大野将平選手は、最終種目の男女混合団体でフランスに敗れてしまい、今大会で勇退する井上康生監督の有終を飾れなかったことについて、「最後、監督を男にできない悔しさはあります」と発言したが、これを性的に解釈する人はいないだろう。[*3] 選挙戦も終盤に近付くと、「わたしを男にしてください！」と連呼する男の立候補者がいるが、「わたしを女にしてください！」と叫ぶ女の立候補者はいない。

これらの例が示しているのは、性的文脈においては、「女」にも「男」にも〈性の対象としての女／男〉という意味が与えられているが、同じ文脈でも、「男」には〈性の対象としての男〉に加えて〈一人前の男〉という解釈が可能だという事実である。

その結果、「女」と「男」という語によって表現される〈性の対象〉の意味が大きく違ってくる。「男」の〈性の対象としての男〉の意味は、〈一人前の男〉の意味の一部として解釈される。〈一人前の男〉には、能力や可能性だけでなく、性的な側面もあると考えられているのだ。

一方、「女」は、通常の文脈では〈人間の女〉を意味するが、性的文脈では〈性の対象〉の意味のみ表現する。〈人間の女〉の意味から切り離され、〈性の対象〉としてのみ表現された女性は、〈性の対象物〉とでも書き表せる形で描写されてしまう。「女を何より性的存在としてとらえることは、（……）女を自動的に物におとしめることになる」[*4]。

その結果、ある人物を指すときに「女」を使うと、その人を〈性の対象物〉であるかのように表現していると解釈されかねないことばになってしまった。使い方によっては、否定的なことばになってしまったのだ。

否定的なことばとしての「女」「男」

しかし「女」は、女性を指す最も基本的なことばだ。そこで、「女」に与えられたこのような否定的な意味合いを打破するために、「いっそ女から出発すべき」と呼びかけたのが、国語学者の寿岳章子《じゅがくあきこ》だ[*5]。女性を性的に表現する「女」をあえて使うことで、性も含んだ女という存在全体に光を当てることを提案したのだ。

現在からこの戦略を振り返ると、成功したとは言いがたい。そう考える理由が、大きく二つある。第一は、「女」に限らず「男」も、性的な意味があるためなのか、依然として否定的に使われることが多いからだ。

たとえば、目に付いた新聞記事を挙げるだけでも、ニュースなどで事件に関わった人について述べるときには、容疑者には「女／男」を使い、被害者には「女性／男性」を使うことが多い（以下「読売新聞オンライン」より）。

（a）NYタイムズスクエアで口論後に発砲、女児と女性2人に当たる…男が逃走
（二〇二一年五月九日）

（b）「男性がトンカチで殴られた」と119番、搬送先で死亡…知人の男を逮捕
（二〇二一年五月八日）

（c）長女の左手にポットの湯を1分間かける…女「泣きやまず立腹」
（二〇二一年五月五日）

（a）では、被害者は「女性」で容疑者は「男」。（b）でも、被害者は「男性」で容疑

者は「男」。(c)では、母親でも、子どもに湯をかけた母親は「女」と呼ばれている。

　このような使い分けを動機付けているのは、「悪い容疑者とかわいそうな被害者は別のことばで指し示すべきだ」という考え方だろう。そして、この場合、「悪い」方に選ばれたのが、すでに性的な意味を与えられていた「女／男」である。性的意味は〈人物の堕落〉と結び付きやすいのだ。

　第二の理由は、否定的なことばは、当事者が使うなら良いが、第三者が使うと差別的になると考える人がいるために、広がりにくいからだ。どういうことか、例を見ていこう。

「おかま」をめぐる逡巡

「否定的なことばをあえて使う」戦略は、「女」以外にも試みられている。

　女だけでなく、マイノリティには否定的ラベルが与えられることが多く、自分たちをどのように呼ぶかというラベルの問題は、多くの集団の権利運動における重要な論点となってきた。

このようなマイノリティに与えられた否定的ラベルのひとつが「おかま／オカマ」だ。この否定的ラベルをあえて自分に使うことで知られていたのが、一九七〇年代から同性愛者の社会的権利を訴えて選挙に出馬した東郷健だ。しかし、二〇〇一年に、「伝説のオカマ」というタイトルで東郷に関する雑誌記事が出ると、同性愛者の団体から「オカマは差別語だ」というクレームが来た。

社会評論家の伏見憲明によると、この問題を受けて、ゲイ雑誌の『バディ』が「メディアが「オカマ」を使うのは許せる？」というアンケートをとったところ、次のような結果になったという。

・「使われ方によってはＯＫ」五五・五％
・「当事者が好んで使う場合のみＯＫ」三〇・四％
・「「オカマ」は使っちゃダメ！」一一・一％
・「「オカマ」をどんどん使う」三・〇％

伏見は「実際に、「オカマ」という言葉ひとつをとっても、それで傷つく人、傷つかない人、積極的に用いたい人、用いるべきだとは思わない人（……）当事者の中でさえも、さまざまな感じ方、考え方があって、一概にそれが差別語だとは言えません」と述べている。*6

一方で、二〇二〇年代に入っても、「当事者が好んで使う場合のみOK」という意識は健在だ。テレビ朝日の『マツコ&有吉 かりそめ天国』は、マツコ・デラックスと有吉弘行《ひろいき》が話すバラエティー番組だ。二〇二〇年二月に放送された回では、東京・練馬のとしまえんの跡地に建てるテーマパークについて、マツコ・デラックスが、次のように提案した。

「巨大なオカマバー。ありだよね？」

「練馬オカマ園みたいなね」

すると有吉弘行は、

「当事者じゃないと、言っちゃいけないのかなという感じがあるから」

と苦笑。[*7]

このやりとりからは、「おかま」は、当事者であるマツコが使うなら良いが、当事者でない有吉には、使いにくいことが分かる。しかも番組では、当事者であるマツコも、「オカマって私が言うとあれだけど、今はあまり使っちゃいけない」と言い、「オカマって言ってごめんなさい」と謝っているのだ。あえて否定的な「おかま」を肯定的に使おうとしても、第三者が肯定的に使うには、それなりの条件を満たす必要があるようだ。

一方でマツコは、「体の中に「オネエ」という風習がないのよ」と吐露して、当事者同士では、あくまで「「あのオネエがさ」とは言わない。「あのオカマがさ」なわけよ」と説明している。つまり、マツコの周りでは、「差別語」と指摘されて久しい「オカマ」をお互いに使っているのだ。

ラベルを増やして二分法の境界を揺らす

もうひとつの戦略は、ことばを増やすことで、従来の区別を曖昧にしてしまう試みだ。

典型例に、性的マイノリティに見られる多様なラベル作りがある。

二〇二〇年代現在、性的マイノリティに用いられることの多い「LGBTQ＋（レズビアン・ゲイ・バイセクシュアル・トランスジェンダー・クエスチョニング、あるいは、クイア、その他）」は、たくさんの名称を含んでいる。

ことばを増やして区別を曖昧にすることには、どんな意義があるのだろう。それを知るために、以下では、セクシュアリティに関する主要な考え方の変遷を五つに分けて見ていく。どの段階でも、特にセクシュアリティを二つに区別する「ことば」の問題が指摘されて、さまざまな「ことば」の必要性が認められていった。

セクシュアリティは社会的につくられる

第一は、セクシュアリティには、社会的につくられる側面があることへの気づきである。一九六〇年代に欧米のフェミニズムが主張したのが、「セックス（生物学的性別）」と「ジェンダー（社会文化的性役割）」（いわゆる「女らしさ／男らしさ」）の区別である。

ジェンダー概念が普及する以前は、人間の性はもっぱら「セックス（生物学的性別）」

のレベルで理解されていた。たとえば、女は子どもを産むから育児や家事をするものだと言われた。女性の「子どもを産む」という生物学的特質が、「育児や家事をすべき」という社会的役割と直接結び付けられていた。

しかし、何が女らしくて、何が男らしいかは、社会によって違う。育児や家事をすることが「女らしい」とは考えられていない社会もある。つまり、「女らしさ」や「男らしさ」は、生物学的特質とは別のレベルで、社会的につくられる役割だと分かってきた。そこで提案されたのが「ジェンダー」という概念だ。

「ジェンダー」概念の意義は、人間の性には社会的につくられる側面があることを明らかにした点だ。女らしさや男らしさが社会的につくられるのならば、変えることもできるはずだ。「ジェンダー」は、女らしさや男らしさが押しつけられる社会ではなく、誰もが自分らしく生きられる社会を目指す可能性を開いたのだ。

さらに、一九八〇年代になると、セクシュアリティにも社会的につくられる側面があることが指摘された。それまでセクシュアリティは、「自然」で「私的」なものだとみなされていた。これに対して、強姦《ごうかん》や売（買）春、ポルノグラフィなどは、社会の男尊女卑思想から生まれた犯罪であり、産業であるとする見方が生まれた。

この議論は、個人の性行為も、社会がつくったルールによって規定されているという指摘につながった。寝室の中の二人だけの行為も自然で私的な行為なのではなく、すでにその人の頭の中にある「何が正しいセックスで、正しいセックスにおいて人はどのように行動すべきか」という知識に基づいた社会的行為である。

曖昧な生物学的性別

さらに、生物学的に決定されていると見なされていた「セックス」も社会的に作られる側面があることが指摘された。私たちは、「人間は生物学的に女か男のどちらかである」と考えがちだ。「人間は女か男のどちらかである」という考え方は、「二項対立ジェンダー観」と呼ばれる。「二項対立」とは、二つの項を極端に区別し、「人間は女か男のどちらかで、女でも男でもないとか、女でも男でもあるという存在を許さない」考え方を指す。

しかし、人間の性は非常に複雑で、すべての人が女か男にはっきり分かれるものではないことが明らかにされている。

生物学的性別は、胎児が染色体・ホルモン・内性器・外性器の四つのレベルで分化していく過程で決定されていく。このどのレベルでも、性の分化は女か男にきっちり分かれるものではないことから、「女寄り」「男寄り」の身体を持った人が存在する。

つまり、生物学的レベルでは、「女」または「男」の両極に位置する多数の人のあいだに、さまざまな程度でその両極の中間に位置する人々がいるのだ。日本語にも「半陰陽」や「両性具有」ということばがあり、また、インドとその周辺地域の「ヒジュラー」など「第三の性」の存在が知られている地域は少なくない。

それまで、「セックス」と「ジェンダー」の関係は、「私たちは、生物学的に男女に区別された体に基づいて、それぞれが育った社会の女／男らしさを学んでいく」と理解されていた。しかし、先に見たように、生物学的性別自体が女か男かに明確に区別できない場合を含んでいるとしたら、この関係はまったく逆になる。

つまり、程度問題である生物学的性別を、女と男に区別するのは、「人間は女か男のどちらかである」という社会がつくった信念、つまり、ジェンダーであることになる。

哲学者のジュディス・バトラーは、「ジェンダーは、生得のセックス（法的概念）に文化が意味を書き込んだものだと考えるべきではない。ジェンダーは、それによってセックスそのものが確立されていく生産装置のことである」と指摘している。[*8]

人間の性を、「ジェンダー」「セックス」「セクシュアリティ」という三つのレベルで理解する必要が指摘されたのだ。

「異性愛」ということばが遅れて登場した理由

では、このような議論が行われていた一九八〇年代から九〇年代の日本で人間の性を示すことばは、どのような状況にあったのだろう。一九八〇年代の日本では、「異性愛」ということばは知られていなかった。そう気付いて『広辞苑《こうじえん》』を確認したら、「同性愛」は一九五五年の第一版から載っているが、「異性愛」が記載されたのは、二〇〇八年の第六版からだった。なぜ、このような「時差」が生まれたのか？

第一章で見た「セクハラ」の場合と同じように、「異性愛」ということばがなければ、異性愛について考えたり、人と話し合ったり、詳しく調べることは難しい。「異性愛」

ということばの普及が遅れたのは、異性愛が、わざわざ言及する必要がないほど当たり前のことだったから。そして、当たり前にしておくのが、異性愛の人にとって都合が良かったからだ。

なぜならば、異性愛は「あからさまに言挙げされない限りにおいてだけその特権的地位を保っていられる」からだ。[*9]

ではなぜ「同性愛」は、一九五五年の第一版から載っているのか。それは、異性愛を「当たり前の自然」にしているのが、性的マイノリティに対して使われる「おかま（オカマ）」や「ホモ」などの、否定的なラベルだからだ。

異性愛の正しさは、その例外や逸脱としてつねに否定的に言及され続ける「同性愛」を必要としている。「おかま」などのラベルが、否定的な意味で使われるたびに、その反対にある異性愛が正常であることが確認される。

「ヘテロセクシュアリティ［異性愛］は、（……）**異常の不在**という座を得るためには、ホモセクシュアリティに**依存せざるを得ない**」[*10]（強調原文）

このような状況に対して、第一段階として観察されたのは、より肯定的な新しいラベルの使用だ。「おかま」や「ホモ」に代わって、日本社会の垢《あか》がついていない翻訳語の「ゲイ」などが使われ始めた。

セクシュアリティは語られることでつくられる

セクシュアリティに関する主要な考え方の変遷の第二は、セクシュアリティが社会的につくられるプロセスにおける、言説《げんせつ》（ことばで語ること）の働きへの注目である。「言説」とは、ある現象に関して社会にいきわたっている陳述の集合を指す。第一章でも見たように、ミシェル・フーコーは、何かについて語ることが、その何かをひとつの対象として成立させると述べている。

だとしたら、セクシュアリティとは何なのかは、性について語られ、表現されることによって（言説によって）つくり出されていくことになる。言説が対象を形作るならば、ことばからセクシュアリティを研究する意義が見えてくる。

さらに、言語を「意味を伝える」記号ととらえれば、写真や映像、イラストなどの視覚イメージも言説の一種と考えることができる。自分にとって「自然」だと感じていた恋愛や性行為の方法も、実は、小説や映画、動画など（広義の）ことばから学んでいるのかもしれない。「セクシュアリティは、両脚のあいだではなく両耳のあいだにある」と言われるゆえんである。

セクシュアリティが「自然」でないことは、私たちが性的感覚を伝え合う方法を見ても明らかだ。私たちは、自分の考えを伝えるときは、その〈意味〉と結び付いている「ことば」を使って伝える。性的感覚も、ことばで伝えることも出来るが、特定の言動によって伝える場合もある。つまり、ことばと同じように、特定の〈意味〉と結び付いている「言動」によって、相手に性的感覚を伝える場合だ。

だから、私たちは、ことばでうそをつくように、性行為においても「うそ」をつくことができる。

言語学者のデボラ・カメロンと言語人類学者のドン・クーリックは、映画『恋人たちの予感』（一九八九）で、女性主人公のサリーが男性のハリーと訪れた騒々しい食堂で、きちんと洋服を着て、席に着いたまま、オーガズムを感じているふりをするという場面を取り上げている。[*11]

サリーが利用したのは、アメリカで〈オーガズム〉という意味と結び付いている「あえぎ声」や、「イエス」や「オー」ということばだ。この場面では、「からだは、うそをつかない」どころか、「からだ」とは無関係に、「言動」と〈意味〉の社会的な結び付きを使って、「からだの反応」を伝えている。

セクシュアリティに関する言説が研究されたことで、セクシュアリティには、「性的アイデンティティ（同性愛、異性愛、両性愛など）」や「性的実践（性行為など）」、「性的欲望」など、さまざまな側面があることが指摘された。

異性愛を「自然で自明のもの」とする規範

第三は、異性愛を政治的制度とみなす、異性愛規範（heteronormativity）という視点の誕生だ。異性愛規範とは「異性愛を自然で自明で望ましく特権的でさらには必然的なものとして奨励し作り出している構造、制度、関係性、行為[*12]」を指す。

アメリカの詩人であり、レズビアンの運動に関わってきたアドリエンヌ・リッチは、女性が異性を愛するのは自然だとみなされているのに、同性を愛すると迫害されるという違いを指摘し、異性愛とは強制された性愛関係であることを示した。[*13] 異性愛ではない人の例から明らかなように、異性愛は「自然」ではない。この指摘は、それまで自然だと考えられてきた異性愛を異性愛規範という政治制度（特定の権力関係を維持する働きをする制度）とみなす視点を生み出した。

異性愛規範という視点は、ジェンダー概念（女らしさ／男らしさ）そのものの見直しをうながした。それまでは、男女がお互いに惹《ひ》かれ合うのは自明なことだと考えられていた。男女は、正反対でありながらお互いを補い合って完結した対をなして、生殖が可能になる。たとえば日本では、女らしさには〈小さい、弱い、感情的〉、男らしさには〈大きい、強い、論理的〉という正反対の特徴が与えられている。

この「対幻想」は、身近なことばや商品によって具体的に示されている。たとえば、「夫婦茶碗《めおとぢゃわん》」「めおと○○」と名付けられたものも、「大」と「小」で対になっている。これも大きい方が男用で小さい方が女用だ。妻の方がたくさんご飯を食べるとしても、これは「幻想」として受け入れられる。

しかし、異性愛が自然ではなく政治制度だとしたら、この関係がひっくりかえる。女らしさと男らしさが正反対なのは、男女が生まれながらにそのような特性を持っているからではなく、異性愛規範が女らしさと男らしさが正反対であることを要請しているからということになる。男女が極端に異なるように設定されているのは、異性愛だけを、自然で正常な性愛関係にするためなのだ。

二項対立をゆるがす「クイア理論」「交差性」

第四に、異性愛の特権性に対する疑問は、「クイア理論（queer theory）」と呼ばれる研究視点に結びついていく。「クイア理論」という名称も、「クイア（変態）」ということばを使っている点で、前節で見た「あえて自分たちに向けられた否定的なことばを使う」という戦略を採用している。

クイア理論は、同性愛を研究するのではなく、異性愛規範を支えている、「女／男と同性愛／異性愛という、お互いを正当化している二つの強力な二項対立を脱構築し、両者の境界をあいまいにしようとする視点を指す[*14]」。

「お互いを正当化している」とは、「女／男」を区別することで、「男女は極端に異なるから、互いを補い合って「対」をつくる異性愛になる」という論理を指す。「女／男」を二項対立に区別することが、「異性愛」を唯一の正しい性愛関係にし、同時に、異性愛以外を「正しくない」性愛関係にする。だから、クイア理論の目的は、「女／男」と「同性愛／異性愛」という二項対立を揺るがすことなのだ。

「女／男」の二項対立をゆるがす概念のひとつが、「交差性（intersectionality）」だ。交差性とは、人が経験する差別を、ジェンダー・人種・階級・性的指向・障害の有無など、さまざまな社会カテゴリーが互いに影響し合った（交差した）結果として理解することを指す。

一九六〇年代のフェミニズム運動は、白人、中流階級、異性愛の女性によって推進されていた。性差別を男女の軸だけから理解していたため、たとえば、非白人の女性たちが、人種差別や階級差別、性差別などの複数の差別に苦しんでいることが見えなかった。交差性という視点は、同じ女性や男性が経験する差別にも、さまざまな違いがあることを明らかにした。

さらに、交差性の視点は、ジェンダー・人種・セクシュアリティ・階級などの社会カテゴリーは、別々に影響を与えているのではなく、分かちがたく結びついていることを示した。複数の社会カテゴリーが一緒に使われると、そのたびに、その結び付きが正当化される。それだけではない。カテゴリー内の区別も正当化される。たとえば、〈女〉がさまざまなカテゴリーと一緒に使われ続ければ、ジェンダーを〈女〉と〈男〉の二項対立に分類することが、当たり前になっていく。[*15]

このような交差性の視点からメディアによる人々の描写を見ると、メディアがさまざまな社会カテゴリーをその時々で取捨選択して、人々を描いていることが明らかになる。

メディアはいかに人を〈他者〉として描くか

たとえば、二〇一八年の女子テニスUSオープン決勝では、セリーナ・ウィリアムズと大坂なおみが対戦した。ウィリアムズは、ラケットを折って、審判を「うそつき！」や「泥棒！」と呼んだとして、ペナルティを取られた。メディアは、ウィリアムズのジェンダーと人種を強調して、ウィリアムズに、無作法で非理性的な「怒れる黒人女」というステレオタイプを貼《は》り付け、ウィリアムズを非難されるべき〈他者〉にした。[*16] ここでは、ジェンダーと人種、そして、〈怒り〉という感情が結び付いている「怒れる黒人女」というステレオタイプが持ち出され、〈怒り〉〈黒人〉〈女〉の結び付きが正当化されている。

一方で、勝利後のインタビューでも丁寧に観客に謝罪した、対戦相手の大坂は、〈日本人〉という人種、あるいは、国籍を強調された。ハイチ系アメリカ人の父を持つ大坂の〈黒人性〉や、アメリカで育ち英語を話す〈アメリカ人性〉は消されている。その結果、大坂は、アメリカ人から見たら、〈日本人〉という〈他者〉になった。[*17] ここでも、ジェンダーと人種（国籍）、〈丁寧さ〉が結び付いている「丁寧な日本人女性」というステレオタイプが再生産され、〈丁寧さ〉〈日本人〉〈女〉の結び付きが正当化されている。

メディアは、ジェンダーや人種、国籍を操作することで、二人のテニス選手を、「怒れる黒人女」と「丁寧な日本人女性」という二種類の〈他者〉として表象した。

しかし、ここで興味深いのは、その後のウィリアムズのインタビューだ。優勝したのは大坂なのに、自分ばかりが取り上げられたと大坂に謝罪した時に、「もうひとりの黒人女性選手から、スポットライトを取るつもりはなかった」と言ったのだ。[*18]

ここでウィリアムズは、大坂を「黒人女性選手」の仲間として扱っている。両者の国籍の違いを消して、〈黒人性〉と〈女性性〉、そして、同じアスリートとしての〈選手性〉を強調することで、互いに〈他者〉にされてしまった大坂との連帯を作り上げているのだ。その後、大坂は、Black Lives Matter（アメリカで始まった黒人差別抗議運動）の活動家としても知られるようになる。

このように、交差性の視点から見ると、メディアがある人物を〈他者〉にしていく過程が分かるだけでなく、そのような「他者化」に対抗して、どのように連帯できるかが見えてくる。

規範にもグラデーションがあることがわかると二項対立の意味もなくなる

第五に、クイア理論で指摘されたもうひとつの二項対立、「同性愛／異性愛」を崩す概念が「規範性（normativity）」だ。社会全体のマクロなレベルにある「同性愛／異性愛」の二分法によれば、異性愛が「規範」で、同性愛は「規範ではない」ということになる。しかしよく考えてみると、異性愛の中にも「良い」とみなされている関係とそうでないものがある。

たとえば、同じ相手との継続的な関係のほうが、複数の相手との一時的な関係よりも「規範に沿っている」と考えられている。男性のほうが少し年上であるほうが、女性のほうが年上であるよりも「規範的」。男性の収入が女性より多いほうが「良い」。あるいは、子どもがいるほうが「良い」など。こうして見ると、規範だと見なされている異性愛の中でも、理想的な関係はものすごく限られていることが分かる。すべての点で規範に沿った関係など、実際にはあり得ないほどだ。

このような異性愛の中のさまざまな関係の違いを捉えるためには、「規範」を程度問題として見直す必要がある。たとえば、男性が女性よりも若い性愛関係。三歳離れているのは受け入れられる可能性が高いが、一〇歳だとどうだろう。このような、程度問題の〈規範でない〉〈ちょっと規範〉〈ほぼ規範〉〈規範〉を捉えるのが、規範性という概念だ。[*19] 男性が女性よりも三歳若いカップルは、一〇歳若いカップルよりも「規範性が高い」ことになる。

「規範性」という概念の第一の特徴は、「規範である／規範でない」という二分法ではなく、それぞれの関係を程度問題として理解する道を開いた点だ。もし、規範が二分法ではないのならば、「異性愛が規範で、同性愛は規範ではない」という二分法は、セクシュアリティに関する規範を正確に捉えていないことになる。「規範でない異性愛」と「同性愛」では、どちらの規範性が高いのだろうか。

「規範性」の第二の特徴は、規範が変化する過程に注目した点だ。「規範性」という視点からながめると、社会全体のマクロな規範だと考えられているルールが、小さなミクロレベルから少しずつ変化していることが分かる。

たとえば、社会全体では〈規範でない〉とみなされていた、女性の収入が男性よりも多い場合。これも、事情をよく知る身近な人の関係だったら、十分受け入れられる。つまり、その特定のカップルというミクロなレベルでは、〈規範でない〉から〈ちょっと規範〉と認められるようになる。さまざまなミクロレベルで徐々に〈ちょっと規範〉になると、マクロなレベルでも〈ほぼ規範〉として受け入れられ、〈規範〉になる日も遠くないだろう。

異性愛の中にも〈規範でない〉〈ちょっと規範〉〈ほぼ規範〉〈規範〉というグラデー

ションがあって、それがミクロなレベルでは日々変化しているのならば、規範かどうかで「同性愛／異性愛」を二項対立に区別する意味が薄れる。

ゲイカップルにおいても規範は生まれる

さらに、規範性から見ると、同性愛関係に関しても、規範性の高いものとそうでないものが区別されていることが見えてくる。二〇二〇年代の英語圏におけるゲイのカップルについては、同じ相手と継続的な関係を持ち、子どもがいることが「同性愛規範(homonormativity)」となっているそうだ。興味深いことに、異性愛の規範に似ているのだ。

リッキー・マーティンは、プエルトリコ出身の世界的に有名な歌手、俳優だ。日本では、「アーチーチーアーチー」という歌詞で有名な、郷ひろみの『GOLDFINGER '99』の原曲を歌った歌手として知られている。二〇〇八年にふたごの父親になり（現在子どもは四人）、二〇一〇年にゲイであることをカミングアウトした。

カミングアウトは、欧米では肯定的に受け取られることが多い。では、カミングアウトする前と後で、リッキー・マーティンが英語のニュースで取り上げられる方法は、どのように変化したのだろうか。
分かったのは、カミングアウト前は、出身地のラテン文化やセクシーさを強調したニュースが多かったのに比べて、カミングアウト後には、パートナーとの関係や父親としての役割に言及しているニュースが増えたということだ。[*20]
つまり、二〇〇〇年代の英語圏では、「カミングアウトをすることは、ゲイの男性が（継続的な家族関係や政治運動への参加、また、セクシーさから離れることなど）自分のアイデンティティに関連したさまざまな規範性を押しつけられる（……）リスクを伴う」行為なのだ。[*21] せっかく勇気をふるってカミングアウトをしても、今度は、同性愛規範に縛られる可能性があるのだ。
このように同性愛を異性愛に似た規範で価値付けすることは、同性愛と異性愛の二項対立を崩すのか、それとも、強化するのだろうか。また、ゲイのカップルが子どもを育てることが広く受け入れられていない日本社会では、何が同性愛規範を決める基準になるのか、今後も注視していきたい。

たくさんのラベルが必要だとわかった

これまで見てきたように、クイア理論の発展は、人々がありきたりのラベルに抱く違和感を表明する後押しをした。だって、すべての人間を女か男か、異性愛か同性愛かのどちらかになんて、分類できるわけがない。ある人が、自分を同性愛者と自認するには、たんに同性に淡い思慕を抱けばいいのか、一度でも同性と性交を行えば同性愛者なのか。よく知られているように、異性と結婚して子どもがいる同性愛者もいる。

当然、違和感の表明はラベルの数を増加させた。現在、広く用いられている「LGBTQ＋」も長いが、それでも、人間の多様なあり方に対応するにはまだまだ足りない。

一方で、これだけたくさんのラベルが必要だということが分かった意義は大きい。ラベルが増えたことで、人間を、女か男か、異性愛か同性愛かで分類することが、いかに乱暴なことなのかが明確になったのだ。

本章では、ことばには、「分ける」という強い働きがあるが、それでも私たちは、人間の性の複雑さをときほぐすことで、さまざまな二分法を乗り越えてきたことを確認した。

第一部では、性に関することばの発展をたどることで、ことばから新しい見方や視点を提案する三つの戦略を見てきた。第二部では、さらに視点を広げて、ことばが社会を動かしている様子を理解しよう。

第二部

変わっていく意味——拡大・規制・漂白

第三章　流行語「女子」がもたらしたもの

ことばの意味が変化していく過程

第一部では、新しいことばをつくり出したり、たくさんのことばを使ったりすることが、社会を変えていく例を見た。

しかし、ことばは、いつでもスムーズに普及していくわけではない。新しいことばを提案しても、異なる意味を与えられて社会に広がっていくことがある。ことばの意味はどのように変わるのか。それを探るには、その過程をじっくり見ることが必要になる。

社会言語学では、ことばの意味が変化する過程を、大きく三つに分けて見る。第一は、「意味の拡大（Indexical expansion）」で、ことばがさまざまな意味と結び付いて、その指し示す意味が増えていく過程を指す。[*1]

特に、特定の話し方が特定の人物像と結び付いていく過程は、「○○ことば化（enregisterment）」と呼ばれ、話し方が、その話し方と結び付いた集団のステレオタイプなイメージを作り上げることが指摘されている。拙著『「自分らしさ」と日本語』では、ディズニーアニメの例を取り上げて、「外国語なまりの英語」が〈悪者〉のイメージと結び付いていることを見た。

第二は、「意味の規制（Indexical regimentation）」で、話し方と結び付いていたたくさんの意味が、既存の考え方に従って整理されていく過程を指す。第四章では、そのうちの、新しく出現したことばが、既存の考え方を変更させないようにその意味を変えてしまう現象を取り上げる。[*2]

第一章で見た、新しく出現した「セクハラ」ということばに対して、「セクハラは、女性の責任だ」とする発言や報道をすることで、従来の「職場の権力関係」の理解に変更が起こらないようにしたのも「意味の規制」の一例だ。

第三は、「意味の漂白（Indexical bleaching）」で、「意味の拡大」とは反対に、ことばの意味の一部が失われていく過程を指す。[*3]

第二部の各章では、それぞれの過程に当てはまる言語現象を取り上げて、どの過程も社会変化と密接な関係にあることを見ていく。

本章では、「意味の拡大」を見ていく。ことばがさまざまな意味と結び付いていく過程は、頻繁に観察されるが、本章では、ことばが急速に社会に普及することで、多様な意味と結びつくだけでなく、多様な領域を結びつける現象を見ていく。ことばの意味が拡大するだけでなく、意味の拡大が社会変化を引き起こす。いわゆる、流行語と言われる現象だ。

近年「流行語」と呼ばれ、急速に使われるようになったことばに「女子」がある。本章では、「女子」を例に挙げて、流行語が引き起こす社会言語学的変化を探りたい。

「婦人」→「女性」→「女子」

日本語で女性一般を表すことばには、「女」「女性」「婦人」「女子」などがある。このうち「女」は、第二章で見たとおり、〈セクシュアリティ〉の意味が強調される場合があるため、避けられることが多い。「女」以外の、「婦人」「女性」「女子」はどうかと言うと、どの語がより使われるかについて興味深い変化がみられる。「婦人→女性→女子」と、広く使われることばが変化しているのだ。

まず、「婦人」から「女性」への変更は、女性の〈年齢〉と深いかかわりがあり、官公庁が主導した。一九九〇年に総理府の婦人問題企画推進有識者会議は、「婦人」ではなく「女性」を使用するべきだという意見を出した。その理由は、「婦人」は既婚の成人女性のイメージが強いので、女子や未婚女性も含めた「女性」の方がよいというものだ。それ以来、官公庁で使われる用語は、次々と「婦人」から「女性」に変更されていった。「婦人週間」は「女性週間」に、全国の「婦人会館」は「女性会館」に名称を変更した。

ここでは、「婦人」が〈既婚の成人女性〉、つまり、年齢が高い女性と結び付いていることが、「女性」に変更するひとつの契機になっている。「女性」に取って代わられたことで「婦人」にはますます〈古さ〉や〈高齢〉といった意味が与えられたため、その後しばらくは「女性」が最も一般的に使われていた。

一方「女子」は、主に二つのレベルで他のことばから区別されている。ひとつは、「女・女性・婦人」など女性一般を指す他のことばとの違いだ。これらのことばに比べ、「女子」は、主に子どもや学生（「女子学生」）、アスリート（「女子選手」）に使われる。教育（「女子教育」）やスポーツ（「女子競技」）で用いられてきたことで、〈若々しさ〉や〈活動的〉といった意味と結び付いてきた。好まれることばが「女性」から「女子」へ移行したのも、「婦人」から「女性」への移行と同じように、〈若々しさ〉に代表される〈年齢〉が要因のひとつだと考えられる。

私も「女子」と呼ばれて悪い気はしない。自分が若々しくなった気がして、うれしい。女性を指すのに、若い年齢と結び付いたことばが好まれるように変化するのは、日本社会に「女性は若いほどよい」という価値観があるからだろう。

「若いほどよい」のは女性だけではない。「後期高齢者」ということばが批判されたことがあるが、高齢者をターゲットにした広告では「シニア」や「大人」などプラスの印象を持ったことばが工夫されている。「シニア向けマンション」や「大人旅」、「オトナ女子」はその典型だ。

もうひとつ、「女子」は、「少女」や「女の子」のような、年齢の低い子どもを指すことばとも区別される。まず、「少女」との違いだが、作家の澁澤龍彥《しぶさわたつひこ》は、少女は「主体的に語り出さない純粋客体、玩具物的な存在をシンボライズしている」と述べ[*4]、メディア文化を論じる馬場伸彦も「受け身であるがゆえに性的欲望の対象となり語られる」と指摘している。[*5]「少女」と比べると、「女子」には、そういった性的な意味合いが少ない。

また、「女の子」は基本的には二、三歳から一〇歳前後の女児を指すのに使われる。そのため、第一章で見たように、成人女性を「女の子」と呼ぶことは性差別だと批判されてきた。「女の子」に比べると、「女子」は成人の学生やスポーツ選手にも使われる。

このように見てくると、「女子」は、〈若々しさ〉や〈活動的〉といった良い意味と結び付いているだけでなく、性的な意味合いも少なく、成人にも使える肯定的なことばだと言える。

「女子会」「リケジョ」の登場

そこで二〇〇〇年代に、企業やメディアが主導する形で「女子」を使うようになった。「女子会」が最初に使われたのは、居酒屋チェーンの笑笑を運営するモンテローザが女性専用のプランメニューを提供した二〇〇九年だと言われている。その後、飲食業界に限らず、コスメやファッション、旅行業界など、女性をターゲットにする企業がこぞって「女子」を使い始めた。

新しい「女子」には、大きく二つの使われ方がある。ひとつは、「女子会」「女子力」「女子旅」のように、「女子○○」と、何かの前に「女子」をつけて、それが〈女性だけで行われる〉ことを強調する場合。それまでの、「女子中学生」「女子プロレス」「女子ゴルファー」が、主に、「男子中学生」「男子プロレス」「男子ゴルファー」と区別するために使われていたのと異なる使い方だ。

もうひとつは、「理系女子」「三〇代女子」のように「女子」の前に何かをつけて、〈その分野に関連している、あるいは、その特性を持っている女性〉を表す場合。「女子」の英語版ともいえる「ガール」や「女子」の「女《じょ》」の部分も、「山ガール」や「歴女」、「リケジョ」のように、それまで女性と結びつけられることの少なかった登山や歴史、理系に興味のある女性の意味で使われる。

「女子」の経済効果

「女子」の新しい使い方には三つの特徴がある。第一は、何よりも経済効果を重視するマーケティングの分野から始まったという点だ。

二〇一三年に共立総合研究所が、主婦の「女子会」消費に関するアンケートを行い、その経済効果が全国で三兆七〇〇〇億円に上るという試算を発表すると、「女子」は売り上げを上昇させる「魔法のことば」として注目を集めた。[*6]「女子力」は二〇〇九年に「ユーキャン新語・流行語大賞」にノミネートされ、二〇一〇年には「女子会」が同賞を受賞。経済効果が契機となった点が、「婦人」から「女性」への移行と大きく異なる「女子」使用拡大の最も大きな特徴だ。

第二は、「女子」を、四〇代、五〇代も含めた成人女性一般の意味で用いている点だ。「三十代女子」や「四十代女子」、「オトナ女子」を使っている雑誌の例を見てみよう。

女性向けファッション誌の世界では二〇〇〇年代に入ってから、主に宝島社の雑誌によって「オトナ女子」のイメージが創出されてきたといえる。一九九九年に創刊された『sweet』が「二八歳、一生女のコ宣言!」を掲げて話題となったのを手始めに、二〇〇三年創刊の『InRed』は「三十代女子」ということばを浸透させ、一〇年創刊の

『GLOW』にいたっては「四十代女子」の魅力をアピールしている。[*7]

ここでは、「二八歳、一生女のコ宣言！」の「女のコ」が興味深い。先に見たように、「女の子」は基本的に、一〇歳前の女児に使われてきた。しかし、ここでは「二八歳」が宣言している。そのため、「女のコ」の「コ」をカタカナにすることで、「女の子」とは違う、むしろ「女子」と同じような、〈若々しさ〉や〈活動的〉な意味合いを強調しているのではないか。

第三に、先にも見たように、広く使われ出した「女子」には〈セクシュアリティ〉の意味が少ない。「今日、「〇〇女子」や「女子会」といったように使われる「女子」ということばには、「女子」といえども年齢は不問とされ、性差を前面に主張しながらも性的な隠喩は希薄である[*8]」。

自分の人生の主役でありたいというメッセージ

「女子」の台頭は、マーケティングの観点から、肯定的に評価されている。たとえば、ファッション文化論を専門とする米澤泉は、「女子」を四〇代から五〇代の女性を指して使う女性雑誌に注目し、このような「女子」の使い方は、これまでのように年齢や社会的役割、女らしさの規範に縛られずに、自分を喜ばせるためにファッションやコスメを楽しむ新しい女性像を提案していると指摘している。

> 二一世紀を生きる「四〇代女子」たちは、良妻賢母規範から自由になろうとする。夫や子供を輝かせるよりも私自身が輝きたい。(……)いくつになっても「女子」であろうとするのは、妻や母としてではない私が主役の人生を送りたいというメッセージなのではないか。他の誰にでもない、私に萌《も》える私が主役の人生[*9]。

「女子」は、「いつまでも若々しく前向きな様子をうまく言い当てている[*10]」、「「大人になりたくない」と考える女性たちに、〝いつまでも可愛くていいんだよ〟」と語りかけて「女性たちの心を摑《つか》」んだ[*11]。〈若さ〉や〈活動的〉な意味を担ってきた「女子」には、「いつまでも若々しく」「いつまでも可愛く」いたい女性たちが、年齢に応じて〈妻〉や

〈母〉などの社会的役割を押しつけてくる「伝統的な女らしさ」を超えて生きる意味合いが読み取れる。

　また、さまざまな年齢の女性に一様に使われる「女子」は、〈主婦〉〈キャリアウーマン〉〈ママ〉などと、「従来、男性中心社会の中で分断され切断されてきた女性たちが、ようやく地歩を固め、自らの再定義と新たなホモソーシャル・ネットワークの構成に向けて、歩を踏み出す兆し」と解釈することもできる。[*12]

　このように、「女子」をさまざまな年齢の女性に用いることは、女性が自分自身の人生の主役になり、さらに、年齢による社会的役割を超えて連帯する可能性を示していると言われている。

　ここまで見てきた、女性を表す「女・女性・婦人・女子」の使われ方や意味が変化していく過程は、それ自体、ひとつの社会言語学的変化として見ることができる。人々が、女性を分類する枠組みや、女性を理解する枠組みを変化させるからだ。

　以下では、このような社会変化に加えて、「女子」に見られるような流行語が、どのように社会変化と結び付いていくのか、その過程を見ていく。

循環することば、結びつく領域

「女子」のように、あることばがそれ以前よりも広い領域で使われるようになる現象は、社会言語学ではさまざまに解釈されてきた。

もっとも多い解釈は、そのことばの意味が、より多くの物事に使われることで増えていくという解釈だ。「女子」の場合で言うと、それまで主に学生やアスリートに使われていたのが、大人の女性にも使われることで、「女子」の意味が広がったと考える。しかし、この解釈は、ことばの変化に焦点を当てているため、「女子」の意味が増えたことで、どんな社会変化が起こったのかは議論の中心になっていない。

一方、本書では、ことばの変化が社会変化を起こす側面に焦点を当てている。では、「女子」の使用拡大は、どのような社会変化を起こしたのだろうか。

それを知る方法のひとつが、ことばが広く使われるようになる過程を、ことばが異なる領域を循環して、それらの領域を結びつけていくとみなす考え方だ。言い換えれば、同じことばが使われることで、それまで別だと見なされていた領域のあいだにつながりが意識され、それが結果として社会の構造を変化させると考えるのだ。
「女子」の場合で言うと、それまで教育やスポーツの領域で使われていたことばが、雑誌や飲食業界などのマーケティングの領域での「成功」に後押しされて、さまざまな領域で女性一般を指すことばとして循環していく。その結果、これまで別だと考えられていた領域が結びつけられることで、社会全体の構造が変化していくと考える。
この考え方を提唱した言語学者のスーザン・ギャルは、これを「間言説性による社会の構造化（social organization of interdiscursivity）」と呼ぶ。[*13]
この場合の、「間言説性」の「言説」とは、ひとつのことばではなく、似たような思想と結び付いていることばのまとまり（「レジスター」）を指す。「思想」とは、「女子」の例で言えば、従来のように女性に年齢に応じて〈妻〉や〈母〉などの社会的役割を押しつけるのではなく、年齢にかかわらず〈若々しさ〉や〈活動性〉を強調する考え方を指す。だから、「女子レジスター」は、「女子」だけでなく、「女子会」や「女子力」、「山ガール」や「オトナ女子」などさまざまな表現から構成されている。「間言説性」の「間」とは、「レジスター」が、さまざまな領域の「あいだ」を循環する様子を表している。

ギャルによれば、レジスターが異なる領域を循環する過程は、大きく三つに分けられる。第一は、「蝶《ちょう》つがい（clasps）」だ。「蝶つがい」とは、レジスターがつくられた領域と、そのレジスターが使われるようになった別の領域を蝶つがいのように結びつける。「女子レジスター」の場合で言うと、「女子レジスター」が最初につくられた領域であるマーケティングと、「女子レジスター」が新しく使われるようになった領域を結び付ける。たとえば、「山ガール」はマーケティングと登山を結び付ける。その結果、それまで経済効率で評価されることの少なかった〈女性の登山〉という領域を、マーケティングの観点から理解して、登山する女性向けの商品が生まれている。

第二は、「中継（relays）」だ。「中継」とは、ひとつの領域で用いられたレジスターの一部が、制度的にも組織的にも異なる他の領域によって取りあげられる過程を指す。レジスターが中継として作用すると、異なる領域に並行して変化が起こる。たとえば、内閣府は、災害時の避難所などに女性の視点を反映するため、二〇二〇年に「防災女子の会」を結成した。「女子レジスター」は、「行政」という異なる領域にも循環しているのだ。しかし、もしマーケティング領域における「女子レジスター」が使われすぎて〈当たり前〉の意味になってしまえば、「防災女子の会」というネーミングの新しさにも影響するだろう。

第三は、「接ぎ木（graftings）」だ。「接ぎ木」とは、あるレジスターに結びついている権威や成功が、別の領域に利用される際の「樹液」になる過程を指す。マーケティングの領域で「魔法のことば」とも呼ばれた「女子レジスター」の経済的な成功は、このレジスターが他の領域に進出する「樹液」、つまり、後押しになる。

この三つの過程は、厳密に区別できるものではなく、多くの場合、複数の過程が同時に影響している。たとえば、「防災女子」の例は、マーケティングから行政へという異なる領域のあいだの「中継」と、マーケティングでの成功に後押しされた「接ぎ木」の両方の過程を含んでいる。

では、ことばは、どれほど無関係だと考えられている領域をつなげることができるのか。そこで、マーケティングから遠く離れた領域として保守運動の例を見てみよう。驚いたことに、保守運動に従事する女性たちも「女子」を使う場合がある。どのように使っているのだろうか。以下では、「女子レジスター」が保守運動へ循環することによって引き起こされている日本社会の変化を見ていく。

女性たちによる保守運動

社会学者の鈴木彩加《あやか》は、戦後日本における保守運動を大きく三つに分類している。[*14] 第一は、「日本遺族会」を中心とした終戦直後の運動。第二は、一九七〇年代から一九九〇年代の「英霊にこたえる会」から「日本会議」に見られる、運動組織化の時期。第三は、一九九〇年代から二〇〇〇年代の、「新しい歴史教科書をつくる会」（以下、「つくる会」）などの草の根運動から、「在日特権を許さない市民の会」（以下、「在特会」）に代表される「行動する保守」と呼ばれる運動だ。

「日本会議」などの組織化された団体や「つくる会」などの草の根団体は、講演会や学習会を中心とした活動を行っていた。一方、「在特会」などの「行動する保守」団体は、街頭演説やデモ行進、抗議活動を行う、文字通り「街頭に躍り出た保守」だ。[*15] これらの保守運動は男性主導で行われてきたために、女性の参加者は、「「母や妻・主婦」という立場で子供や家族を守るために保守運動に参加する」と考えられていた。[16]

しかし、二〇〇〇年代後半になると、「行動する保守」としての女性グループが設立される。「日本女性の会　そよ風」（二〇〇七年結成、以下「そよ風」）や「愛国女性のつどい　花時計」（二〇一〇年結成、以下「花時計」）、「なでしこアクション」（二〇一一年結成、以下「なでしこ」）などである。[17]

鈴木によれば、これらの団体の特徴は、（1）女性の団体であることを積極的に打ち出している、（2）専門家や識者ではない一般の女性が活動している、（3）インターネットを活用している、そして、（4）「行動する保守」として、街頭演説やデモ行進、抗議活動に積極的な点にある。[18]

伝統的な「女らしさ」と過激な行動の矛盾

これらの特徴は、右の三団体のホームページにも表れている。[19] 三団体は紙媒体での広報を行っていないため、ウェブサイトで用いられていることばとイメージを分析したところ、以下の三つの特徴が見られた。[20]

第一に、女性によって設立され、運営されている、女性のための団体であることを明確にしている。たとえば、「そよ風」のウェブサイトは、赤い背景に桜の花をちりばめて、髪にピンクと白の花を挿した「そよちゃん」という女の子のイラストを載せている。「花時計」の名称にも見られる「花」のモチーフや、赤やピンクという色は、団体が女性的であることを強調している。

第二は、街頭演説やデモ行進、抗議活動などの「行動」を強調している点だ。「そよ風」のウェブサイトは、「語るだけでは何も変わらない、私達は行動します」と宣言。「なでしこアクション」の「アクション」にも「行動」への焦点が示されている。

第三に、伝統的な「女らしさ」に価値を置いている。たとえば、「花時計」のウェブサイトは、「着物姿の女性たち」が女性だけのデモ「日本のお母さんパレード」を実施したことを報告。「和文化班」は、着付け教室や茶道体験も提供している。「なでしこアクション」の「なでしこ」は、「大和撫子《やまとなでしこ》」からとった名称だ。

ここに挙げた第二と第三の特徴は、女性による「行動する保守」活動の根本的な矛盾を示している。街頭活動を推奨する一方で、伝統的な女らしさを尊重しているからだ。

「そよ風」の二〇一三年五月九日付ブログには、「今年こそ謝罪をもとめるぞー！」という強い表現が使われている。鈴木は「街頭という公の場で声を荒げて他者を攻撃するという「行動する保守」の女性たちの活動は、「女らしさ」からの逸脱である」と指摘している。[*21]

「女子」によるラッピング戦略

この矛盾を解消していると考えられる戦略のひとつが、女性保守運動参加者の書籍における「女子」の使用だ。先の三団体のウェブサイトには、「女子」ということばは全く使われていない。[*22] 一方、女性の保守運動参加者が出版した本には「女子」が用いられる場合がある。

以下の分析で対象にしたのは、佐波優子著『女子と愛国』（祥伝社、二〇一三）と河添恵子他著『国防女子が行く』（二〇一四）という二冊である。これらの本における「女子」の使い方を分析したところ、興味深い共通点が見られた。本の題名、章の題名、節の題名など、本の外側とも呼べる部分には「女子」がふんだんに使われている一方、本文や登場する女性の発言には「女子」が現れないのだ。[*23]

『女子と愛国』では、本の題名に続いて、第一章は「女子が声を上げはじめた」というタイトルで、その中の節には、「ブログを通じた嫌韓流の拡散が女子たちの行動の原点」、「学校の歴史授業への疑問が「愛国女子」への転換点」、「現代の「愛国女子」の戦い」というように、「女子」が頻繁に使われている。一方、「花時計」や「なでしこ」の代表者をはじめとして、本文で言及されている女性は、「女性」や「少女」と呼ばれている。

四人の女性の座談会からなる『国防女子が行く』にも同様の傾向が見られる。本の題名に続いて、序章には「愛国女子の履歴書」、第一章には「女子が考える国防」、第三章には「国防女子の教育提言」というタイトルが付いている。興味深いのが、最後の「あとがきに代えて」の部分で、著者のひとりが、「女子」を二回も使っている点だ。冒頭に、「「国防女子談義」の企画は、ある瞬間に閃《ひらめ》きました」とあり、「最後に、女子力に常にたじたじだった（笑）○○社編集部の△さん」とある。一方、本文の座談会部分では、四人の女性は「女子」をまったく用いていない。自分の幼少期について語っている部分でも、「私は物心がつく頃から愛国少女でした」と「少女」を使っている。[*24]

本文にはほとんど現れない「女子」が、本の外側である題名や章題、あとがきにはふんだんに使われる。この傾向はさまざまに理解することができるが、私はこれを「ラッピング戦略」と名付けた。本を商品とみなすと、編集者や著者は、本文の外側を「女子レジスター」でラッピングしたと言える。

「ラッピング戦略」がもたらす社会言語学的変化は、大きく二つ挙げることができる。ひとつは、「接ぎ木」と「中継」によって、保守運動とマーケティングを結びつける働きだ。保守運動とマーケティングは、かなり異なる領域だ。しかし、マーケティング領域での「女子レジスター」の経済的な成功は、このレジスターによって二つの領域を接続する後押しになり、「中継」によって保守運動とマーケティングがスムーズにつながる結果となる。

「ラッピング戦略」は、保守運動のような社会運動に従事している人が、その思想をどのような形で書籍として提供するのか、経済効率や市場価値を意識するようになったことを示している。

もうひとつは、「行動する保守」団体の女性たちを理解する枠組みを変更する効果だ。

先に見たように、街頭演説やデモ行進、抗議活動をする保守運動の女性たちには、伝統的な女らしさから逸脱しているという矛盾がある。しかし、保守運動の女性たちを「女子レジスター」で包み込むことは、「女子レジスター」が伴う〈若々しく〉て〈活動的〉な意味を、女性たちの印象に上乗せする。その結果、「女らしさ」から逸脱している「行動」も、「若々しさから来る、女らしさからの逸脱」と理解される可能性が出てくる。多少のやんちゃは、若い女性には許されるという感覚だ。若々しい活動となった保守運動は、一般の女性たちにとってアクセスしやすくなるかもしれない。

「女子」がやすやすと異なる領域に循環できるのは、すでに「女子」がマーケティングにおいて大きな成功を収めていたからだ。現在、新しいことばの創造や循環のもっとも大きな原動力になっているのは、広告宣伝の場だと言える。

本章では、「女子」を例に、ことばが意味を増加すると同時に、さまざまな領域で用いられるようになり、その結果、それまで関連が薄かった領域が結びつけられるという現象を見た。「女子」の流行によって、マーケティングと保守運動がなだらかにつながるという社会変化が観察されるのだ。

第四章　"girl power" はなぜズレていったのか

本章では、「意味の規制」、つまり、「新しく出現したことばが、既存の考え方を変更させないように、その意味を変えてしまう過程」の例として、新しいことばの意味がずれていく例を見ていく。

具体的には、第三章で取り上げた「女子レジスター」のひとつである「女子力」が、脱毛広告でどのように使われているのか、英語の girl power との意味の違いを見ていく。この例は、社会がグローバル化し広告や商品名に英語が氾濫している現代において、日本社会の既存の考え方がどのように維持されているのかを知る手がかりを与えてくれる。

「女子力」とはどんな力なのか

「女子力」は、安野《あんの》モヨコが『美人画報ハイパー』（講談社文庫、二〇〇一）で最初に使用したとされている。安野は漫画家として成功したにもかかわらず、パーティーで男性から相手にされず、キレイに着飾った女性が主役になっていることにショックを受ける。そして、容貌やファッションを磨いて「女子力を上げる」ことを決意したという。

このように、「女子力」ということばは、「女子力を上げる／下げる」や「女子力が高い／低い」のように、人によって違いのある能力のように使われるところに特徴がある。「女子力」は、「女性に求められる規範的な容姿や振る舞いを能力として捉え、それらを高低差によって測定・評価可能とする表現」なのだ。[*1]

では、「女子力」が意味する「能力」とは、どんな能力なのか。

社会学者の菊地夏野は、二〇一三年に大学生七八二名を対象に行ったアンケート結果から、「女子力」の二つの意味を明らかにしている。[*2]

第一に、女子力は、料理や掃除、裁縫と、服装やメイク、髪型、マナーなど、「伝統的な女らしさ」に求められる能力によって構成されている。女子力とは、家事と美しさに関わる能力なのだ。また、女子力は、恋愛や結婚に有利になるとみなされている点でも、「伝統的な女らしさ」と似ている。[*3]

これを読んだときには、私も結構女子力が高いのではと早とちりした。主婦歴五〇年の私としては、家事はお手のものだ。けれど、第二の意味を読んで、愕然《がくぜん》とした。「女子力」の第二の意味は、結果ではなく、家事や美しさ向上のために、しっかり自分を管理して努力することだ。アンケートでは、「女子力が低い」例として、「部屋が汚い」や「休日に家でダラダラ」が挙げられていた。他人に見られることがない自分の部屋や休日でも、自分で自分を管理できないと、「女子力が低い」とみなされる。つまり、女子力の内面性とは、「美や家事能力を目指して日常的に自発的に管理されようとする心身のあり方[*4]」なのだ。

これによれば、ただ家事をすれば良いのではない。重要なのは、自己管理なのだ！「女子力」が「伝統的な女らしさ」と異なるのは、この自己管理の強調だ。「伝統的な女らしさ」に含まれる美しさや家事能力は、人によって違いがあり、最初から〈きれいな人〉と〈きれいでない人〉、あるいは、〈料理の上手な人〉と〈料理が苦手な人〉がいること、つまり、〈女らしい人〉と〈女らしくない人〉がいることが前提だった。

しかし、女子力という考え方によれば、それらの能力は、誰もが努力して達成できるはずのものになった。〈女らしくない〉のは、努力していないから。その結果、女性たちは、自分を管理することによって「高い女子力」を競うことになったのだ。

新自由主義社会の女子力

ではなぜ「女子力」に、「自己管理によって伝統的な女らしさを獲得する」という意味が読み取られるようになったのか。

「自己管理」や「自己責任」と聞くと思い当たるのが、日本では、一九九〇年代から台頭した新自由主義（ネオリベラリズム）という考え方だ。[*5]

菊地によれば、新自由主義社会では、民営化や規制緩和により労働者の権利や福祉が弱まる。その結果、社会的連帯よりも自己責任や個人主義が優位になり競争が常態化する。競争によって高まる不安は、伝統的な家族や国家、女らしさや男らしさの復権を唱える保守的言説に結びつく。そして、これらすべてが消費文化を称揚する経済効率によって正当化される。[*6]

これを「女らしさ」の観点から見ると、新自由主義においては、個人主義に基づく競争に耐えうる自己管理力と伝統的な女らしさの能力の二つを混ぜたような「女らしさ」

が理想になる傾向がある。

菊地は、「女子力」は、「競争に邁進《まいしん》することを要請するネオリベラリズムの思想を体現した語彙だ」と指摘している。[*7]「女子力」の意味は、若者の多くが新自由主義の価値観に基づいて、このことばを解釈した結果だとも言えるのだ。

そう言われてみると、私が小中学生だった一九七〇年代頃の少女マンガには、クラスの中に「勉強はできるが、おしゃれでない子」と「勉強はできないが、おしゃれな子」の二種類の女子が登場していたように思う。「勉強のできる子」は、たいがい眼鏡を掛けていて、「おしゃれな子」は異性にモテていた。最初から、頭の良い子、センスの良い子、運動神経の良い子など、いろいろな子がいた。

ところが、一九九〇年代ごろから「おしゃれな子は、勉強もできる」となった。いつもきれいにお化粧をして授業にくる女子学生に、「朝、お化粧にどのくらいの時間かかるの？」と聞いたら、「四〇分ぐらい」と返ってきたのもこの頃だ。今から考えると、彼女は努力して「自己管理」していたのだ。

「女子」をたんなる流行語として理解していると、「女子力」が伝統的な女らしさを獲得するために自分を律して、互いに競争させている側面を見逃してしまう。
「女子力」の問題は大きく二つある。ひとつは、個人間の競争が強調されるため、女性が互いに連帯することがむずかしくなること。もうひとつは、女性の生きづらさを、その人個人の責任ではなく、社会全体のシステムの問題として議論する道が閉ざされてしまう点だ。[*8]

かっこいい生き方としてのgirl power

一方で、二〇一〇年代から、「女子力」の英語版と見まごうGIRLS POWERということばが、若い女性をターゲットにした広告に使われるようになった。そこで、具体例を見る前に、GIRLS POWERと非常に似ている英語のgirl powerと、日本語の「女子力」の違いを押さえておこう。

英語のgirl powerは、一九九〇年代のアメリカで、ライオット・ガール運動（the Riot Grrrls movement）と呼ばれる、フェミニズムの反商業主義から始まった。[*9] それまでのメディアは、若い女性を経済的にも社会的にも「無力」だとみなしていた。しかし、

girl powerということばは、そんな若い女性たちにも、「社会を変えるちからがある」ことを認めたのだ。パンクロックなどの音楽をはじめとするポピュラーカルチャーを通じて、girl powerは〈かっこいい生き方〉として普及し、若い女性の自己主張や自信、自立的態度を象徴することばになった。

しかしその後、girl powerが広告やメディアに取り込まれるようになると、フェミニズムの概念とは裏腹に、「個人の成功が、仲間との活動を上回り、社会システムの問題は、個人の選択の問題に入れ替わった」[*10]。

個人の成功と個人の選択。つまり、前節で挙げた「女子力」の二つの問題は、英語のgirl powerという表現についても指摘されているのだ。英語のgirl powerも、女性の生き方を個人主義や自己管理の観点から評価するという点で、日本語の「女子力」同様に、新自由主義の影響を受けている。

一方、「女子力」がgirl powerと異なるのは、料理やメイクなどの伝統的な女らしさにかかわる能力が強調されている点だ。菊地によれば、欧米ではエリート女性が注目され、主婦的女性は注目されないが、「日本社会の「女子力」言説においては、いまだに、主婦的女性のあり方が、中心的に権威化、標準化されているという特色がある」という。[*11]

では、「女子力」の英語版のようなGIRLS POWERは、若い女性向けの広告で、どのような意味で使われているのだろうか。

脱毛広告の「GIRLS POWER」

GIRLS POWERを前面に押し出した、二〇一七年の、ミュゼプラチナムの脱毛広告を見てみよう。この広告は複数のビジュアルとテキストから成っている。[*12]

メインのビジュアルには、水色の背景に、白いドレスと白い靴の女性が、足を伸ばして空中に浮いている。足のあたりには黄色いリボンをつけたキティちゃん。女性の髪にも、同じ黄色いリボンがイラストで描かれ、背景全体にも白くキティちゃんのリボンがちりばめられている。白いドレスやキティちゃん、リボンは、脱毛した結果得られる女らしさが、「かわいい」であることを示唆している。

「かわいい」は、「無垢《むく》で未熟」[*13]、「愛らしさ、頼りなさ、おとなしさ」[*14]など、さまざまに特徴づけられてきた。日本の化粧品のテレビ広告を分析した研究は「かわいいは、もっとも顕著でもっとも頻繁に現れる」日本女性の価値であることを示している。[*15] また、シンガポールで流通している各国の化粧品ブランド広告を比較した研究も、「特に日本ブランドは、少女のようなかわいらしさを広告の前面に出す傾向がある」と指摘している。[*16]

「かわいい」は、「良妻賢母《りょうさいけんぼ》」や「大和撫子《やまとなでしこ》」のような伝統的な女らしさではないが、若い女性にとってももっとも重要な価値観であり、判断基準であるという点で、日本の規範的な女らしさのひとつだと言える。

ミュゼプラチナム（二〇一七）より

ミュゼプラチナムの脱毛広告の右上には、「女子に、ちからを。GIRLS POWER」と大きく黄色い文字で書かれている。一緒に書かれていることで、この広告のGIRLS POWERの意味は、「女子に、ちからを与える」であることが分かるが、何が女性にちからを与えるのかは、明示されていない。

それが明示されているのが、テキストが添えられたビジュアルだ。同じ女性の顔写真の上に、次のメッセージが白抜きで書かれている。

女のコでいるのは、めんどくさい。「化粧しなきゃ、ダイエットしなきゃ、ムダ毛の処理しなきゃ・・・」って、いつからこんな窮屈に感じちゃってるんだろう。でも、キレイになると女のコは自然とつよくなれる。自信が持てたり、背伸びができたり、新しいことに挑戦できたり。そんな女のコたちのちからが、いつだって、世界を動かしてきた。新しいブーム、新しいカルチャー。そのパワーが、世界をもっと楽しくさせる。だからミュゼは、たくさんの女子に、もっと手軽にキレイになってほしい。すべては、そこから生まれるガールズパワーのために。[*17]

メッセージの最初では、化粧やダイエット、ムダ毛の処理が「めんどくさい」こととして列挙されるが、それでも引き続き努力しようと声を掛ける。なぜならば、「キレイになると女のコは自然とつよくなれる」からだ（ここでも、「女の子」ではなく、第三章で見た、「女のコ」が使われている）。

「キレイになるとつよくなれる」？

つまり、「女子に、ちからを。GIRLS POWER」で表現されている「POWER」とは、「かわいい」を目指して脱毛する若い女性に与えられる「ちから」なのである。

「キレイになると女のコは自然とつよくなれる」という論理は、日本のポピュラーメディアにしばしば登場する。たとえば、多くの若い女性に「かわいい」と承認されている「蜷川《になが》《わ》ワールド」で知られる写真家の蜷川実花[*18]は、二〇一二年に監督した映画『ヘルタースケルター』についてのインタビューで次のように答えている。

今回の映画にも出てくるんですけど、「強いからきれいになれる」んじゃなくて、「きれいになるから強くなれる」ということに私は固執したんですね。（……）やっぱり女性というのは、自分で自分をきれいだと思えることによって自信が持てる生き物なんだなって。[*19]

つまり女子は、まずは、きれいにならないと、強くなれない。

この論理、よく考えると、日本語の「女子力」と同じだ。まず、「キレイになると女のコは自然とつよくなれる」ということは、若い女性は自己管理（＝脱毛）をすれば、きれいになれるということ。次に、この広告が前提としている、「脱毛＝キレイになる」は、「体毛の少ない女性＝キレイ」という、伝統的な女性美の価値観だ。

一見英語のように見えるGIRLS POWERは、実は日本語の「女子力」と似た内容を表現している和製英語なのだ。写真研究家の小林美香は、「ミュゼプラチナムの広告では、このように和製英語化された「girls power」が、それ以前より広く膾炙《かいしゃ》していた「女子力」（……）という言葉を、英語で言い換えたものとして読み取られるような文脈が作られている」と指摘している。[20]

言語を超えてずれる意味

この脱毛広告では、英語と日本語という異なる言語のあいだだけでなく、ローマ字とカタカナという異なる文字のあいだで、意味がずれている。[21]

まず、英語圏のポピュラーカルチャーで台頭したgirl powerは、その〈かっこよさ〉を「樹液」として、日本語のマーケティングに、和製英語のGIRLS POWERとして「接ぎ木」され、取り入れられた。英語圏のポピュラーカルチャー領域から日本語のマーケティング領域に「girl powerレジスター」が循環したのだ。

次に、GIRLS POWERは、日本の読者に分かりやすい、カタカナの「ガールズパワー」にスムーズに変換される。最後に、「ガールズ」が「女子」、「パワー」が「力」という日本語に変換され、広告を見る人は、「ガールズパワー」を「女子力」と理解する。

英語のgirl power⇒和製英語のGIRLS POWER⇒カタカナの「ガールズパワー」⇒漢字の「女子力」と、徐々に日本語化していく過程で、その意味も少しずつずれていく。日本語でよく知られている「女子力」に、意味が引っ張られていくのだ。

その結果、英語のgirl powerと和製英語のGIRLS POWERでは異なる意味が表現される。GIRLS POWERは、英語のgirl powerが初期に強調していた、〈自己主張〉や〈自信〉、〈自立的態度〉よりも、「女子力」の特徴である、〈脱毛でツルツルになった肌〉によって〈かわいい〉を獲得した結果、自分に自信が持てるようになる「ちから」

を表現しているのだ。

これは、レジスターの循環が、必ずしも同じ意味の循環を保証するわけではないことを示している。レジスターが循環したとしても、意味がずれていく場合があるのだ。「ことばは、異なる領域を循環する」と言っても、必ずしも最初の意味のまま循環するわけではない。

特に、異なる言語間を循環するときは、循環先の言語にすでにある表現に合わせる方向に意味がずれていく。「girl power レジスター」の場合も、個々の単語の意味が、すでに日本語にあった「女子力」と近かったため、その意味が「女子力レジスター」に吸収されてしまったのだ。

いまある考え方を変えない意味を与える

girl power から「女子力」へ意味がずれたということは、すでに日本にある「何が女らしいのか」という考え方を変更しない形で、英語のことばの意味が変化したということだ。その意味で、これは「意味の規制」の一例だ。

このように、新しいことばが、すでにある考え方の枠組みで意味をずらされていく例は、他にもある。たとえば、「草食男子」ということば。コラムニスト・編集者の深澤真紀が二〇〇六年に名付け、二〇〇九年には流行語大賞にノミネートされたが、発案者の意図とは異なる意味づけをされて普及していった。

本来は、「もてないわけではないが恋愛やセックスにがつがつしない男性」、「家族や友人を大事にして、女性と友人関係がもてる男性」という若者をほめる意味だった。二〇〇八年の森岡正博による『草食系男子の恋愛学』で描かれている「草食系男子」も、女性の生理などを考慮してくれる男性を指す。[*22]

ところが、上の世代の男性から、「いまどきの若者は、草食男子で情けない」と言われるなど、ネガティブな意味で広まってしまった。[*23]

では、当時の「上の世代」の男性が、恋愛やセックスについてどのような価値観を持っていたのか。それを知る貴重な指摘が斎藤美奈子の『物は言いよう』（二〇〇四）に取り上げられている。

「草食男子」ということばが生まれるほんの三年前の二〇〇三年には、自民党の太田誠一衆院議員（当時）が、「集団レイプする人はまだ元気があるからいい。まだ正常に近いんじゃないか」と発言。[*24] さらに、その一九年前の、一九八四年には、三浦朱門文化庁長官（当時）が、「女性を強姦《ごうかん》するのは、紳士として恥ずべきことだが、女性を強姦する体力がないのは、男として恥ずべきことである」と発言。[*25] さらに言えば、日本には、「据え膳食わぬは男の恥」という「ことわざ」すらある。わたし流に解説すれば、「女性に誘惑されたと思ったら、たとえそれが男性の思い込みでも、男性が応じないのは男として恥である」という、レイプを「合意の上」とするような内容だ。

　つまり、少なくとも二〇〇三年までは、「上の世代」の男性の一部に、「レイプ」と「元気」を「男らしさ」と結びつけるような、それこそ「恥ずべき」思い込みが連綿と維持されていたのだ。そのような思い込みに照らせば、セックスにがつがつしない「草食男子」は、「情けない」ことになるのだろう。

　問題は、自民党議員や文化庁長官の考え方だけではない。二〇〇〇年代に、「草食男子」の意味が落ち着く過程で、「セックスにがつがつしない男性」ではなく、「レイプ＝元気」という考え方の方が「草食男子」の意味を規制してしまったという事実だ。その理由は、「上の世代」だけでなく多数の日本人にも「レイプ＝元気」が共有されていたからではないだろうか。そして「草食男子で情けない」と言われるたびに、「レイプ＝元気」が正当化されていたとしたら、こんなに恐ろしいことはない。

ことばの意味がずれる過程を見ることは、日本社会の既存の考え方が維持される中で、ことばの意味が重要な役割を果たしていることを示してくれる。「ガールズパワー」が〈家事やメイクに努力するかわいさ〉を指す限り、そして、「草食男子」が「情けない」と言われる限り、日本社会は変わる必要がないことになる。

既存の価値観がすべてではない

しかし、本章で見てきたのは、あくまで脱毛広告で呈示されている新自由主義的女性「像」である。広告を見た女性がだれしも脱毛が必要だと思うわけではないし、新自由主義的女性像を理想だと考えるわけでもない。その意味で、「女子レジスター」による新自由主義的女性像の普及も限定的なものである。

実際、girl power が普及するにつれ、若い女性たちを「無力だ」と見なす視線に変化が起こり、女性たちも主体的に社会を改善しようと活動を始めた。英語のgirl powerが初期に強調していた〈自己主張〉や〈自信〉、〈自立的態度〉を継承している日本の若い女性たちもいる。そんな女性たちの活動は、マーケティングの領域で理想化された女性像に挑戦し、新しい価値観を提案している。

『ガールズ・メディア・スタディーズ』には、そんな若い女性たちのさまざまな活動が報告されている[26]。以下では、ことばと関わりのある一例だけを紹介する。「明日少女隊」の広辞苑《こうじえん》キャンペーンだ[27]。

明日少女隊（Tomorrow Girls Troop）は、二〇一五年に結成された、匿名で活動するアーティスト集団だ[28]。『広辞苑』の「フェミニズム」と「フェミニスト」の定義に疑問を持ち、二〇一七年に『広辞苑』の出版社である岩波書店にこの二つのことばの説明を書き換えるよう求める公開書簡を送り、オンライン署名を開始した。

『広辞苑』第六版（二〇〇八年刊行）の「フェミニズム」の説明には以下のようにある。

> 女性の社会的・政治的・法律的・性的な自己決定権を主張し、男性支配的な文明と社会

を批判し組み替えようとする思想・運動。女性解放思想。女権拡張論。

これに対し、明日少女隊は、「フェミニズムが「性別間の平等」を求める思想であることを明記してください」と訴えたのだ。

二〇一八年に刊行された第七版は、「フェミニズム」の定義を以下のように変更した。

女性の社会的・政治的・法律的・性的な自己決定権を主張し、性差別からの解放と両性の平等とを目指す思想・運動。女性解放思想。女権拡張論。

「男性支配的な文明と社会を批判し組み替えようとする」が、「性差別からの解放と両性の平等」に変更されたのだ。

この変更が、明日少女隊のキャンペーンに応えた結果かどうかは分からない。岩波書店は明日少女隊に公式な返答はしていないからだ。明日少女隊は新しい定義にも問題があることを指摘して、今後もキャンペーンを続けることを表明している。

本章では、ことばの意味が、既存の考え方とつじつまが合うようにずれていく例を見た。第一部で見たように、新しいことばが社会を変化させる場合もあるが、むしろ、今ある社会の形を正当化するように意味を変えられてしまう場合もある。ことばは、それを使う人々の思想と密接に関係しているのだ。

「意味の規制」の過程を追うことは、普段は明確に言われることはないが、多くの人々が持っている考え方を明らかにしてくれる。そう気付くと、明日少女隊のキャンペーンは、たんなる辞書の定義に対する異議申し立てではなく、私たちが「フェミニズム」に対して持っている誤った理解に気付かせてくれる活動であることが分かる。

第五章では「意味の漂白」、つまり、ことばの意味の一部が失われていく過程を見ていく。

第五章　誰が意味をはがされるのか

怒り狂うガービー先生

そのアメリカのコメディは、代用教員のガービー先生が高校の教室に入ってくるところから始まる。

ガービー先生は、「私は二〇年も教師をしているベテランだから、じゃまするなよ」と言って、名簿を手に出席をとり始める。

ガービー：ジェイクワリン（生徒はお互いに顔を見合わせているだけ）
ガービー：ジェイクワリンは、どこだ。いないのか？
（生徒は、あきれたように先生を見ている）
ジャクリーン：（手を挙げて）えーっと、ジャクリーンですか？
ガービー：（怒って）わかった。そういうことをするんだな。（教卓を両手でたたく）

　ふざけんな。
（ジャクリーンを指さして）おまえには気を付けないとな、ジェイクワリン。
（名簿に戻って）バラケ。
（生徒、互いに顔を見合わす）
ガービー：バラケは、どこだ。今日は、バラケはいないのか。
ブレイク：（手を挙げて）ブレイクです。
ガービー：頭がおかしいのか。（生徒の声を真似して）ブレイクです。
（ブレイクを指さして）けんかしたいのか、バラケ。
ブレイク：いいえ。（泣きそうな顔）
ガービー：本気だぞ。
（名簿に戻って）ディーナイス。
これ以上、ばからしい名前を言うなら、このクラス全員に雷が落ちるぞ。
さあ、ディーナイスだ。
デニス：デニスのことですか。

ガービー：ばかやろう！（膝で名簿をたたき割る）正しい名前を言え。
デニス：デニス。
ガービー：正しい名前だ。
デニス：デニス。
ガービー：正しい名前だ。
デニス：デニス。
ガービー：正しい名前だ。
デニス：ディーナイス。
ガービー：そうだ。ずっと、ましだ。*1

　この後もガービー先生は、名前を呼んでも生徒がすぐに答えないことに腹を立て、教卓の上にあったものをたたき落としたり、校長の所に行けと命じる。最後に、ガービー先生に「ティモーシー」と呼ばれた生徒は、本当の名前は「ティモシー」なのだが、すぐに「はい」と答える。ガービーは満足げに「よし」と言って、このコメディは終わる。

「間違った名前を使う」という権力

このコメディの何がおもしろいのか。

おもしろさが伝わりにくいのは、私の日本語訳がへたなせいもある。それでも、ガービー先生が、生徒の名前を間違って呼んでいるにもかかわらず、絶対に自分の呼び方が正しいと怒り狂っていることは分かるだろう。

ガービー先生は、「ジャクリーン（Jaqueline）」を「ジェイクワリン」と呼び、「ブレイク（Blake）」を「バラケ」、「デニス（Denise）」を「ディーナイス」と呼ぶ。生徒が訂正すると烈火のごとく怒りだし、先生の権力を盾に、自分の間違った呼び方を認めるまで怒鳴り続ける。

実は、このコメディのおもしろさは、アメリカで日常的に行われている「間違った名前を使う」という権力関係を逆転させているからなのだ。

アメリカの先住民や移民、そして、移民の子孫たちは、それぞれの人種や民族の歴史文化を背負った名前を持っている。しかし、アメリカで生活していく中で、多くの人は、アメリカ人が発音しやすい名前で呼ばれたり、アメリカ人のような名前に変えられてしまう。つまり、自分の名前から、人種や民族の意味を「はぎとられる」経験をしているのだ。[*2]

「じゃあ、なんで正しい名前に訂正しないのか」と言う人がいるかもしれない。しかし、頻繁に聞き直されたり、毎回、間違って発音されると、あきらめてしまう場合もあるのではないか。

名前を聞き直されたら?

そこで思い出したのが、以前私が飼っていた愛犬のことだ。子どもたちの名前の上の音をつなげて「ユソ」と名付けた。本犬《ほんけん》(人)も自分の名前が分かっていて、「ユソ!」と呼ぶと、こちらを見る。見るだけで来ないところが、かえって、かわいい。

ところが、散歩に行くと、困ることがあった。

「かわいいワンちゃんですね。なんていうお名前?」

とよく聞かれるのだ。

「ユソです」

と答えると、かならず、

「えっ！　うそ？」

と聞き返される。

ある時などは、高齢の女性に名前を聞かれたので、いつものように、

「ユソです」

と答えると、驚いた顔をなさったので、

「やっぱりか」

と思っていたら、

「えっ！　ジュディ？」

と聞き返されたので、絶句してしまった。どこから「ジュディ」が来たんだろう？

その話を小学生だった息子にしたら、

「だから、ぼくは、「ジョンです」って答えるようにしてる」

と、のたまう。

なるほど、「ジョン」だったら聞き直される心配はないし、ユソはそこまで人間のことばを理解しないので、ユソが気分を害する心配もない。

小学生でも、しかも、自分の名前じゃなく犬の名前でも、毎回聞き返されるのは面倒くさいのだ。だとしたら、アメリカに移民した人たちが、違う名前で呼ばれても、いちいち直さなくなる気持ちも分かる。

訂正をしなければいけなくなるのは誰？

ここで重要なのは、どのような対応をするにしろ、対応を迫られるのはいつも移民や先住民の側だという事実だ。つまり、アメリカ社会の権力関係が、そのまま、だれが、自分の名前から人種や民族の意味を「はぎとられる」かを決めている。

一方、冒頭のコメディで間違った名前で呼ばれているのは、いつもは名前を言い間違えている側の生徒たちだ。Jaqueline（ジャクリーン）も、Blake（ブレイク）も、Denise（デニス）も、どれもアメリカ社会の中枢を占める典型的なアングロ・サクソン系の名前だ。つまりこのコメディは、移民の名前を言い間違えてきた人々に、ユーモアをこめて、名前を間違われる理不尽さを伝えているのだ。

コメディ引用部分の最後の、ガービー先生とデニスのやりとりが象徴的だ。「正しい名前」を連呼するガービー先生は、自分こそが何が「正しい」かを決める権利を持っていることを疑わない。

ガービー先生が、最終的に生徒を黙らせるまで理不尽に怒鳴りまくるのは、ひとつには、たかが名前に大げさに怒ることによって、視聴者の笑いを誘っているのだろう。しかしそれ以上に重要なのは、これが、名前を間違われている側の人たちがひしひしと感じている無言の権力や圧力を表現している点だ。

実際の教室の場面では、移民の生徒が、先生に「私の名前は、本当は、こう読みます」と訂正したとしても、ガービー先生のように名簿をたたき割って怒る先生はいないだろう。しかし、それ以前に、先住民や移民とアングロ・サクソン系の人たちのあいだには厳然とした権力の違いがある。ガービー先生の大立ち回りは、移民に訂正することすらためらわせる権力関係を文字通り体現しているのだ。

映画『千《せん》と千尋《ちひろ》の神隠し』では、千尋が湯婆婆《ゆばーば》に雇ってもらおうと部屋に行くと、湯婆婆は「千尋」という名前を奪って、あらたに「千」と名付ける。この場面でも、「名前を奪う」ことが湯婆婆の絶対的支配を象徴しているのだ。

このように、ことばが持っている意味をはがす行為は、「意味の漂白」の一例だ。先住民や移民の子孫の名前をアメリカ読みにすることは、それらの名前に与えられている人種や民族の歴史や文化を洗い流してしまう行為だ。それは、「外から来た人を見えなくする」働きをし、アメリカ社会にはさまざまな文化が混ざり合っていることを見えなくする。「名前」ということばを操作することで、社会を理解する枠組みを操作しているのだ。

イングリッシュネームの功罪

実は、ガービー先生のビデオを見て、五〇年以上前に、中学生になって受けた英語の授業のことを思い出した。

先生がクラスの全員に、英語の名前を決めるように言ったのだ。それぞれが、メリーだとか、ジョンだとか、好きな英語の名前を決め、それを三〇センチ四方の紙に書き、三角形に折って立てられるようにする。英語の授業になると、その紙を出して机の上に立てる。先生は英語の授業のあいだだけ、生徒を「メリー」や「ジョン」と呼ぶのだ。

英語の雰囲気づくりとしてみんな楽しんでいたが、まだ中学一年生で"This is a pen."を習っている段階だったし、知っている英語の名前が限られていたので、何人かの生徒が同じ名前になってしまったりして、じきになし崩し的に使わなくなってしまった。

その後、この英語の名前についてはすっかり忘れていたが、最近になって、私よりずっと若い人が高校の英語の時間に、同じように英語の名前を使っていたという記事を読んだ。案外、授業中に英語の名前を使わされたという人は日本全国にいるのかもしれない。[*3]

記事によれば、このように英語圏以外の出身者が英語圏の人にとってなじみのある名前を使うことは「イングリッシュネーム」と呼ばれる。英語圏の大学にいる留学生などに多く見られる。外国語の名前は英語圏の話し手にとって発音が難しいので、より親しみのある英語的な名前を別に持つのだと言う。

このイングリッシュネームが本名になった人がいる。歌手のジュディ・オングだ。台湾出身で三歳の時に来日し、九歳で芸能界に入り七〇年になるという。現在は日本国籍を取得して、本名は「翁《おきな》ジュディ」と言う。

二〇二三年六月五日の『徹子の部屋』に出演した際に、司会の黒柳徹子が「ジュディというのは英語の授業で付けた愛称だったんですか」と尋ねると、ジュディは「そうです。アメリカンスクールで。本当の名前、中国名は翁倩玉《ウォンチェンユィ》なんです。でもそれは誰も言えない。で友達ができないっていう心配から、〝じゃあなんか好きな。この中からどれがいい？〟って、それで〝あっ、ジュディがいい〟って言って、そこで決まっちゃったんです」と答えている[*4]。中国名の翁倩玉を、アメリカンスクールの他の生徒は誰も正しく発音できないという話は、この後に取り上げる、習近平の名前の所にも出てくる。

イングリッシュネームに関しては、「コミュニケーションを円滑にするために有効だ」という意見と、「英語の名前を強制されているようで抵抗がある」という意見が見られる。後者の意見は、ガービー先生の例と同じように、必ず英語圏以外の人が英語の名前を使うのであって、その逆のケースはないという事実から来ているのだろう。

このような意見を尊重して、英語圏の人の中には、外国から来た人の名前を正しく発音しようと努力してくれる人もいる。一九九〇年代に滞在していたカナダの保育園の先生は、子どもの名前だけでなく私の名前も正しく呼びたいと言って、真剣な顔で聞いてきた。

「あなたの名前を正しく呼びたいんだけど、正しい発音は、「モモーコー」と「モッモコー」のどっち?」

先生は、傍線の「モ」を高く発音した後、じっと私の目を見て反応をうかがっている。これには、まいった。どうやら、英語圏の人は、どれかの音を強調しないと話せないようで、平坦《へいたん》に「モモコ」という選択肢はなかったようだ。

そのどちらでもないと答えると、目を丸くして、それからは、平坦に「モモコ」と言う練習が始まった。平坦に話すことは相当むずかしかったが、私に会うたびに、平坦に言おうと努力したおかげで、驚くことに徐々に言えるようになった。

その姿を見てうれしかったので、私も外国語の名前の人に会ったときは名前の発音を教えてもらい、何度も練習するようにしている。正しく発音できないことがほとんどだが、努力だけは続けたい。

下の名前で呼び合う男子学生

イングリッシュネームの記事を読んで、自分が四〇年以上前にアメリカに留学していたときのことを思い出した。アメリカの学生は名前で呼び合っていたので、同じ大学に留学していた日本人留学生同士も、日本語で話しているのに「モモコ」「タロウ」などと名前で呼び合っていた。

アメリカにいたときは何の不都合もなかったが、日本に帰ってきて困った。その人に連絡を取りたいと思っても、苗字が分からないので探しようがない。「日本では苗字でやりとりするんだった」と困惑。「モモコ」と「タロウ」だけでは、幼稚園の子どもになってしまったように感じたものだ。

しかし、この「苗字でやりとりする」習慣も近年変化しているようだ。私が中高生のころは、女子は名前で呼び合っていたが、男子は「中村」などと苗字で呼び合っていた。ところが、私が勤務する大学の男子学生が、二〇一〇年代ぐらいから授業中に「シュウト」や「リュウセイ」と名前で呼び合っていることに気付いた。女子も、男子を「〜くん」などを付けずに、名前だけで呼んでいる。気がついたのは、二〇一五年ぐらいか。

さっそく、ちょうど勤務校に滞在していたインドネシアのガネーシャ教育大学の先生と一緒にアンケートを採ったところ、男子学生の約七割が互いを名前で呼ぶと回答した。

これは、私が勤務する大学の男子だけではないようだ。二〇二四年の箱根駅伝では、大会の選手紹介では「中村選手」のように苗字が使われており、大会後のインタビューでも質問者は「中村選手」と苗字で呼んでいた。

しかし、テレビ中継を見ていたら、激走する選手を途中の路上で応援する同じ大学の選手は口々に「ヒロキ！」や「イッセイ！」と、下の名前で応援していた。きっと普段は、同じ学年の選手同士は下の名前で呼び合っているのだろう。

これは社会言語学的に見ると結構大きな変化なのだが、これまで取り上げられたこともないし、この変化がどのような社会変化に結び付くのかはまだ分からない。この世代の男子学生が社会人になった後も「名前呼び」を続けるのかどうかも不明だ。

ひとつ確実に言えるのは、男子学生が、使う場面と相手との関係を考慮して、「苗字読み」と「名前呼び」を細かく使い分けている点だ。たとえば、箱根駅伝に出場した選手たちは、路上での応援では「名前呼び」だったが、大会後のインタビューでは、苗字さえも避けて「〇区の選手」「先輩方」「同期」「後輩たち」と呼んでいた。

また、関係に関しては「苗字読み」よりも「名前呼び」のほうが関係が近くなると推測される。恋愛小説でも、「中村さん」「鈴木さん」と呼んでいたふたりが「モモコ」「タロウ」と名前で呼び合うように変化すると、読者はふたりが以前より親しい関係になったと理解する。

勤務校の学生たちも、よく観察していると、最初からお互いを名前で呼ぶわけではない。会ったばかりの、一回目や二回目の授業では苗字で呼び合っている。そして三回目ぐらいから「名前呼び」が始まる。徐々に関係を詰めていくのだ。

これだけ「名前呼び」が浸透すると、今度は、以前の「苗字呼び」だと距離が感じられてしまうかもしれない。「名前呼び」の距離感に慣れた学生が、就職して「苗字呼び」になると、職場の人間関係においては親しさを表現しにくくなるのだろうか。それとも、職場でも「名前呼び」になるのだろうか。今後も注視していきたい。

このように、男子学生の「名前呼び」は、社会言語学的に非常に興味深い現象なのだが、私は別の意味で困っている。たとえば、ゼミ長にイベントの係分担を決めてもらっているとき。みんな「ヒロキが良い」などと、苗字ではなく名前で話し合う。ゼミ長は当たり前のように、黒板の各係のあとに学生の名前を書いていく。

ところが、私は高齢になるにつれて、学生の名前を覚えるのに時間がかかるようになってしまった。学期はじめの時期は、学生の苗字を覚えるのもおぼつかない。苗字を知らないのは失礼だと、必死に覚える。ところが、やっと「鈴木さん」を覚えても、そのころにはすでに学生たちは下の名前に移行している。仕方なく、今度は下の名前と格闘する。しかも、最近の名前は凝っていて、同じ漢字でも読み方はいろいろだ。

今は最初から「なかなか覚えられない」と白状しているが、名前を覚えてもらえない学生には悲しい思いをさせてしまっているのではと、自分が歯がゆい。

習近平は「しゅう きんぺい」か「シー・チンピン」か

ガービー先生の例を読んで、「日本でも似たことが行われている」と気付いた読者がいるかもしれない。中国の人の名前を日本語読みで呼ぶ場合だ。たとえば、二〇二〇年代現在、中国の国家主席である習近平は、日本では「しゅう きんぺい」と呼ばれている。しかし、これは漢字の日本語読みで、中国語の読み方とは違う。

先に見た、名前から人種や民族の意味を「はぎとる」という論理で言えば、習近平を「しゅう きんぺい」と呼ぶのは、大変失礼なことになる。そこで、一部のメディアでは、中国語読みをカタカナで表している。習近平の場合は、「シー・チンピン」や「シー・ジンピン」となる。

ところが、このような心遣いに対して、在日中国人の方から「日本の皆さん、習近平は「シー・チンピン」でなく「しゅう・きんぺい」でお願いします」という記事が出た。[*5] 記事によると、これらの中国語読みのカタカナ表記は、中国の人には非常にわかりにくいらしい。書きことばの場合だと、漢字のふりがなで使われているのならまだしも、カタカナだけだと漢字が思い浮かばないので何を言っているのか分からないそうだ。「シー・チンピン」というカタカナを見て、すぐに「習近平のことだ」と分かる中国の人は滅多にいないと言う。さらに、話しことばで日本語のカタカナ読みを聞いても、中国語の発音とは全く異なる場合が多いので、こちらもさっぱり分からない。

中国と日本には、漢字という共通の文字があるのだから、最後には、基本的には筆談で伝えられる。漢字を軸にすれば、中国では中国語読み、日本では日本語読みが一番分かりやすい、と記事は結んでいる。

本章の最初に挙げたアメリカの移民や先住民、その子孫の例と、中国と日本の例は何が違うのだろう。それは、両者が異なる権力関係にあるのか、それとも、対等な関係にあるのかだろう。アメリカの例は、名前から人種や民族の意味をはぎとられるのは、一方的に社会的に弱い立場の移民や先住民だった。しかし、中国と日本の場合は、お互いに自国の漢字読みを使う。いわば、対等な関係だ。

この例は「名前から人種や民族の意味をはがす」という行為の意味は、名前を呼ぶ人と呼ばれる人のあいだの権力関係によって大きく異なることを示している。

なんでも略す日本人と「意味の漂白」

日本人が扇子《せんす》から折り畳み傘まで、あらゆるものを「縮める」ことはよく指摘されている。[*6] もちろん言語も例外ではない。「パーソナルコンピューター」は「パソコン」で、

「明けましておめでとう」は「あけおめ」になる。これは、第二言語として日本語を学んでいる人には厄介なことであるらしく、日本語がとても堪能な人でも簡単な略語を推測できない場合がある。

あるとき、日本演劇の専門家のアメリカ人と喫茶店でお茶を飲んでいた。その日は私が支払いをする番だったので、

「レジでお会計をしてくるね」と言った。すると、

「えっ、レジ?」と、首をかしげる。

「レジスターのことだよ」と答えると、手をたたいて大笑いする。

以前から日本語の話し手が略語を使うことを知っていたけれど、「レジスター」という短いことばまで「レジ」と縮めていることを知って、その徹底ぶりに「さすが、日本語」と納得したのだと言う。

略語はことばの形を縮めているだけの場合もあるが、その過程で意味が漂白されることもある。たとえば、二〇二三年に脳科学者の茂木健一郎がツイッター（現X）で、「MARCH」や「日東駒専」を「偏差値を基準にして複数の大学をひとくくりに呼ぶ行

為」だと批判した。[*7] ご存じのように「ＭＡＲＣＨ」とは明治、青山学院、立教、中央、法政の五大学の頭文字をつなげたもので、「日東駒専」は日本、東洋、駒澤、専修の四大学を指す。

そう言われてみると、このような略語の使い方はそれぞれ異なる伝統や校風がある大学を、「偏差値」というたったひとつの基準でひとまとめにしている。各大学の歴史や特色を見えにくくするという点で、意味の漂白の一例だ。同時に、このような呼び名が当たり前のように使われるたびに、「大学にとって重要なのは偏差値だけだ」という考え方が受け入れられていく。社会における大学の役割を理解する枠組みを変化させる社会変化にも結びついているのだ。

視聴者はメディアの言葉を自在に使いこなす

もうひとつ、「意味の漂白」が社会変化との関連で注目されている理由が、メディアと視聴者の関係だ。

そもそも「意味の漂白」を最初に指摘した研究が取り上げたのも、メディアで使われたことばを聞いて、一般の視聴者が自分たちの会話でも使い始めることで、当初の意味の一部が失われていく現象だった。[*8]

視聴者がメディアのことばを採用する過程は、大きく三つに分けられる。ひとつは、メディアで使われたことばに気がついて、視聴者がそのことばに言及する「採用（Adoption）」。二つ目が、視聴者が自分たちの会話で使い始める「循環（Circulation）」。そして、三つ目が、そのメディアを見ていなかった人までが新しく使い始める「拡散（Diffusion）」だ。[*9]このうち、「意味の漂白」は、二番目と三番目のあいだで起こるという。

たとえば、二〇一三年にＴＢＳで放送されたドラマの『半沢直樹』（池井戸潤原作）では「倍返しだ！」というせりふにメディアも視聴者も注目した（採用）。すぐに一般の視聴者にも使われるようになった（循環）。この表現が「お香典は倍返しが良いでしょうか」のように、ドラマとはまったく異なる場面で使われるようになれば（拡散）、「倍返し」ということばの意味はそのままだが、ドラマにおける銀行という場面設定や復《ふく》讐《しゅう》といったストーリーと関連した意味は失われている。つまり「意味の漂白」は、視聴者が能動的にメディアで使われたことばを採用する過程を重視したことから生まれた概念なのだ。

これまで、メディアと視聴者の関係は「メディアは視聴者の言葉づかいにどのような影響を及ぼすのか」という観点から研究されてきた。テレビが標準語の普及に大きな役割を果たしたことが典型例だ。

しかし、「意味の漂白」をはじめとする近年の研究は、むしろ「視聴者はメディアの言葉づかいをどのように使いこなすのか」、そして「視聴者のこのような言語行動は、どのように新しい表現を普及させ、社会を変化させていくのか」という全く新しい視点を提供している。[*10]

否定的意味をはぎとる

先に見た、「名前から人種や民族の意味をはがす」は、その名前の持ち主にとって大切な意味をはぎとってしまう例だった。一方、同じ「意味をはがす」でも、そのことばに与えられていた否定的意味をはがす場合がある。

たとえば「バツイチ」という表現は、人前で言いにくかった〈離婚〉を明るく表現している。それまで「離婚」ということばには〈結婚をやめる〉という意味だけでなく、〈結婚に失敗した〉あるいは〈人生に失敗した〉というような否定的な意味が読み取られていた。そのため、それでなくてもさまざまな困難に直面する当事者をさらに苦しめる場合も多かった。

しかし、二〇〇〇年代初頭には年次の離婚件数が約二九万組を超え、珍しいことではなくなった。それを期に、「バツイチ」のようなカタカナを使うことで半分自虐的で軽いことばが使われるようになる。「バツイチ」は「離婚」の否定的意味をはぎとることで、当事者の罪悪感を軽減しただけでなく、「一生同じ人と結婚しているのが良い」という結婚観も揺るがしている。

一方で、「否定的意味をはがす」ことに危うさを感じることばも見られる。たとえば、「パパ活」。二〇一七年のドラマ『パパ活』(脚本野島伸司)では、「デートをするだけで金銭的援助をしてくれる男性との交際」の意味で使われた。しかし現在では、年上の男性が女性に対して金銭を支払って食事をすることのみならず買春まで含んでいる。二〇二二年に一八歳の女性に飲酒させたと報じられ自民党を離党した吉川赳《たける》衆院議員に対して、「パパ活疑惑」や「パパ活議員」ということばが使われた。

このことばの危うさは、「パパ」というカタカナによる〈軽さ〉と、「〇〇活」という他のことばとの類似性だ。「パパ活」は「就活」「婚活」「終活」と形が似ている。私たちはことばの形が似ていると内容も似ていると感じる場合が多い。「パパ活」ということばは、買春を「就活」「婚活」「終活」と同じような活動だと理解させる危険をはらんでいる。

本章では、言葉の意味が変化する過程のうち「意味の漂白」をとりあげ、言葉の意味の一部が失われることで、社会を理解する枠組みが変化する場合があることを見てきた。

しかし、ことばは、常にスムーズに変化していくとは限らない。なぜならば、「変えたい」と考えているのに「変えられない」場合があるからだ。第三部では、そのような例として、配偶者やパートナーを指す呼び名の問題を取り上げ、この問題の背景にある、私たちの日本語に対する言語意識を明らかにする。

第三部

ことばを変えられないのはなぜか——言語イデオロギー

第六章　「ルール」を優先してしまう私たち

パートナーの呼び名問題

第一部と第二部では、ことばが変わることで社会が変化する例を見てきた。一方で、どの社会でも、どの言語でも、ことばが変わることに対しては、大きな反発がある。あまりにも多いので、社会言語学の中でも、言語変化に反対する団体や人々について研究する分野があるぐらいだ。

もっとも多いのは、言語をその地域や集団の文化や伝統、アイデンティティの象徴とみなして、それを変更することに対して反発する動きだ。言語学者のデボラ・カメロンは、これを「言語版の衛生学（verbal hygiene）」と呼んだ。[*1] ことばが変化することをことばが汚れるように感じて、昔のまま保ちたいと奮闘する人々の考え方を指す。

だから、多くの国は、その国の言語を統制する機関や法律を持っている。日本でも、たとえば文化庁には文化審議会国語分科会という会議体があり、そこで専門家が今後の日本語の使い方などを決めている。これら各国の体制や運動については、すでに多くの優れた研究が行われている。

第三部では、それらの研究とは視点を変えて、多くの人が「変えたい」と考えているのに「変えられない」現象を取り上げたい。配偶者やパートナーを指す呼び名の問題だ。

この問題の特異性は、国などから規制されたり、反対する団体があるわけではないのに、話し手自身が「変えられない」と感じている点だ。その背景には、私たちの日本語に対する言語意識が存在する。つまり、パートナーの呼び名について考えることは、私たちが日本語に対してどのような態度を取っているかを明らかにしてくれるのだ。

社会の権力構造と言語イデオロギー

第三部で明らかにしようとしている言語意識や言語観などは、社会言語学では「言語イデオロギー（language ideology）」と呼ばれる。言語イデオロギーについては拙著『「自分らしさ」と日本語』（第4章）で詳しく紹介しているので、ここでは、第三部を理解する上で必要な部分だけを復習したい。

「言語イデオロギー」とは、話し手がことばの「使い方」に関して持っている信念や意識を指し、典型的には、ことばの使い方に関して、その社会で広く支持されている規範やルールを指す。[*2]

「言語意識」や「言語観」と違って「イデオロギー」という用語が使われているのは、言語に関する規範やルールは、たんなる考え方ではなくなんらかの制限や強制を可能にして、社会の一部の人たちの得になるという理解があるからだ。つまり、言語イデオロギーは、社会の権力構造をその射程に入れた概念なのである。

言語イデオロギーは、私たちが人の発言を理解したり、人の言語行動を良い／悪いなどと評価するときだけでなく、自分の発言を選ぶ場合にも大きな影響力を持つ。

言語イデオロギーがつくり出されるときに大いに活躍するのが「メタ語《ご》用論《ようろん》的《てき》言説《げんせつ》(metapragmatic discourse)」だ。[*3] メタ語用論的言説とは、ことばの使い方に関してあれこれ評価していることばの集まり、平たく言うと「話し方について語ることば」ということになる。

以前の研究では、国や専門家が「こういう場合は、こういう話し方をするべきだ」と述べているような「話し方についていて語ることば」が分析されることが多かった。しかし、現代では、誰もが話し方に「ついて語る」ことができる。そう、ネットに書き込まれる人々の意見だ。

そこで第三部では、人々がパートナーの呼び名についてオンラインアンケートに書き込んださまざまな意見を手がかりに、日本語の話し手の言語イデオロギーを明らかにしていく。

第六章ではパートナーの呼び名の何が問題なのかを探り、第七章ではなぜ別の呼び名が普及しないのか、その理由を言語イデオロギーの観点から見ていく。

毎日使っていることばの中でも、なんとなく、「使いづらいなあ」と思うものがある。そんな難しさを感じることばのひとつが、「妻」や「夫」などパートナーの呼び名だ。二〇二三年に日経ウーマノミクス・プロジェクトが実施したアンケート調査（以下、「日経二〇二三年調査」）によると、女性の五一％、男性の二六・三％が、パートナーの呼び名で悩んだ経験が「ある」と答えている。[*4] なぜ、たくさんの人が悩んでいるのだろう。

呼び名がつくる関係

第一の理由は、呼び名の大切さだ。なぜならば、ことばには関係を作る働きがあり、呼び名は関係を作ることばの代表だからだ。

「ことばが関係を作る」とは、どういうことか。私たちは通常、最初に関係があり、その関係に基づいて相手を呼ぶことばを選んでいると考えている。しかし、よく考えてみると、私たちを取り巻く人間関係は、最初から関係が決まっている場合ばかりではないし、関係は常に変化している。

呼び名と関係のかかわりは、大きく三つに分けることができる。

一つ目は、最初に関係があり、その関係に合った呼び名を使う場合だ。たとえば、生徒は先生を「中村先生」と呼び、社員は会社の上司を「中村課長」と呼ぶ。「生徒と先生」や「社員と上司」の関係は最初から決まっているので、その関係を表す呼び名を使う。

二つ目は、関係が変わったから、呼び名も変える場合だ。第五章でも触れた例だが、小説を読んでいると、恋愛中のふたりはそれまで「中村さん」「鈴木さん」と姓で呼んでいたのに、親しくなると名前やニックネームに変えることが多い。読者は呼び名の変化から関係が変わったことを推測する。

三つ目は、関係は変わっていないが、呼び方を変えることで関係も変えようとする場合だ。最近よく見られる例では、企業で「○○課長」や「○○部長」ではなく「○○さんに統一しよう」と声がけして、上司と社員の対等な関係を作ろうとする「さん付け運動」などに見られる。変化する世界の中で会社が生き延びるためには、若い社員が意見を言える平等な関係づくりが重視される。ここでは、最初からある上司と社員の上下関係も、お互いに「○○さん」と呼び合うことで平等になると考えられている。まさに、「呼び名が関係を作る」場合だ。

呼び名が関係を作ることとは、私たちが、実際とは違う呼び名を使う例からも分かる。たとえば私たちは、自分の恩師が「先生」を辞めた後も、「○○先生」と呼ぶ。先生が退職したからといって、「先生」と呼ばなくなることの方がまれだろう。それは、「先生」と呼び続けることで、昔の「師弟関係」を確認しているからだ。呼び名で関係を作り続けているのだ。

先日、バスを降りたら、いきなり「ももこ！」と私を呼び捨てにする人がいる。見ると、同年代の「おっさん」だ。「なんで、こんなおっさんに、「ももこ」なんて呼ばれるの！」と思ったが、よく見ると、見おぼえのある顔だ。さらに見つづけると、しわだらけの顔の向こうに、幼い少年の顔が見えてきた。思わず、「○○くん！」と叫んだ。うれしかった。小学校の同級生だった。「ももこ！」と「○○くん！」で、一挙に小学校時代に戻った。呼び名は記憶とも結びついているのだ。

しっくりこない「ご主人」「嫁」

パートナーの呼び名に悩む第二の理由は、このように、呼び名が人との関係を築く上で大切なのに、今ある呼び名にしっくりこない場合が多いからだ。

たとえば、夫を指すのに使われる「主人」。『日本国語大辞典』（第二版）によると、「主人」は「家のぬしやあるじ」を指し、「他人を従属・隷属させる者」などを表していたが、「妻が他人に対して自分の夫を指して言う」ときにも使われるようになった。「旦那」は「使用人などが、その主人を」、「商人が自分の店の客を」、「妾《めかけ》や芸者などが自分の世話をしてくれる男性を」敬って言う語。「妻が自分の夫を敬っていう語」としても用いられる、とある。つまり、「主人」も「旦那」も、男女を主従に関係づけることばなのだ。

一方、妻に使われる「奥様、奥さん」は、大名の正妻など、「身分が高い者の妻」を敬って呼ぶ語だったのが、一般に用いられるようになった。「家内」は、「家の内。家族、家人」と、「妻。自分の妻を謙遜《けんそん》していう場合が多い」という二つの意味があるとされている。「奥様、奥さん」と「家内」は、妻を家の奥や中にいる者とする呼び名だ。「嫁」は、「息子と結婚してその家の一員となった女性」とある。家の新入りといった位置づけだ。

これらの呼び名と結びついている、男女が主従関係にあり、妻が家にいるという家族形態は、一八八九年の大日本帝国憲法で制定された「家制度」そのものだ。「家制度」では、父である戸主に絶対的権力（戸主権）があった。父には、財産を管理し、住む場所を決め、子どもの親権や結婚、養子縁組、分家を承諾する権利があり、家族の生活はほとんど父によって決定されていた。一方、女性には、財産所有権もなかった。「家制度」は、一九四七年の日本国憲法によって法的には否定されたが、現在でも、「主人」や「旦那」という呼び名に象徴されるように、さまざまな形で日本人の意識に残っている。

現在の話し手も、「主人」や「嫁」から主従関係を読み取っているようで、『中日新聞』が二〇二三年に行ったアンケート（以下「中日二〇二三年調査」）には、次のような意見が寄せられた。[*5]

・「あなたのご主人様…」と言われると、私は召し使いか？　と思う。
（40代女性・会社員ほか）

・「ご主人」と言われると、自分が使用人で話の通じない人だと思われてるのかな…と思ってモヤモヤする。
（30代女性・専業主婦）

・「嫁が」と言われることには違和感。
（40代女性・専業主婦）

「ことばが関係を作る」のだとしたら、パートナーをどのように呼ぶかによって、相手との関係だけでなく、その関係における自分も表現することになる。パートナーと力を合わせて生きている人には「主人」「嫁」「奥さん」「家内」はしっくりこないだろう。

中でも、「嫁」と呼ばれることにがっかりする女性は多い。息子の妻を「嫁」と呼ぶ人は、「自分」と「息子の妻」を、「家長」と「嫁」という主従関係に位置付けている。息子もこれを不快に感じる人が多い。残念なことに、私の周りには、「嫁」を使う親と何十年も音信不通になっている男性が数え切れない。たかが呼び名、されど呼び名である。

先日、一九九一年ごろにアメリカの大学で日本語を教えていた方から興味深いお話を伺った。日本語の教科書に「主人、家内、奥さん」と書いてあったので、そのまま教えたところ、学生から「これは、女性差別だ。今でも使っているのか?」という質問があったそうだ。その方は、まだジェンダーの問題に不案内だったので、「使っている人は気にしていない。ことばは符号だから」と答えたところ、多くの学生が非難した。さらに、翌年の授業評価に「日本語の先生たちはsexists(性差別者)だ!」と書かれたという。教科書に書いてあっても、それをそのまま教えれば、学生は教師も教科書と同じ考

	女性	男性
文化庁 1999 年調査	主人 74.6%	家内 51.1%
日経 2023 年調査	夫 51.9%	妻 35.6%

表1　他人に対して自分のパートナーを指す呼び名

	女性	男性
自分のパートナー	夫 51.9%	妻 35.6%
他人のパートナー	旦那さん、旦那様 53.5%	奥さん、奥様 84.7%

表2　自分のパートナーと他人のパートナーに使う呼び名

えだと思うのだ。

二〇二〇年代の現在から三〇年以上も前に、アメリカの学生は「主人、家内、奥さん」は性差別を表現した呼び名だと感じた。当時の学生が、日本では今でもこれらの呼び名を使う人がいることを知ったら、日本という国について、どう感じるだろう。

この感覚は、多くの日本人にも共有されているようで、過去二〇年間に、最も多く使われる呼び名は大きく変化した。文化庁が一九九九年に発表した「国語に関する世論調査」の報告書では、自分のパートナーについて既婚女性の七四・六％が「主人」と呼び、既婚男性の五一・一％が「家内」と呼んでいた。しかし、「日経二〇二三年調査」では、女性の五一・九％が「夫」、男性の三五・六％が「妻」を使用している[*6]（表1）。

自分のパートナーに使う呼称は、二四年のあいだに「主人・家内」から「夫・妻」へと変化している。多くの人が、主従関係や家制度と結びついた呼び名を使わなくなっているのだ。

他人のパートナーをどう呼ぶか

しかし、「家内・主人」から「妻・夫」へ変更しただけでは、パートナーの呼び名の問題は解決しない。なぜならば、他人のパートナーを呼ぶ時に、第三の理由が浮上するからだ。

先に挙げた「日経二〇二三年調査」でも、五三・五％の人が他人の男性配偶者を「旦那さん・旦那様」と呼び、八四・七％の人が他人の女性配偶者を「奥さん・奥様」と呼んでいる[*7]（表2）。つまり、自分のパートナーは「夫・妻」と呼び変えた人でも、他人のパートナーは「旦那さん／奥さん」と呼んでいるのだ。なぜだろう。

パートナーの呼び方については、次の三つの場合がある。

①パートナーがお互いに呼び合うとき
②自分のパートナーについて人に話すとき
③他人のパートナーを呼ぶとき

①のお互いに呼び合うときは、名前やニックネームでも、お互いが納得していれば問題になることは少ない。

②のパートナーについて人に話すときの難しさには、大きく二つの理由がある。第一の理由は、多様な呼び名に、異なるパートナー関係のイメージが結びついている点だ。ことばは不思議なもので、同じものを指す複数のことばがあると、それらの意味は微妙に異なってくる。

たとえば、「夫」と「主人」は、どちらも男性配偶者を指すことばだが、妻がどちらを使うかで、聞いた人は異なるパートナー関係を思い浮かべる。妻である女性に対して持つ印象も違ってくる。

しかも、どんなパートナー関係を思い浮かべるかは、聞く人のパートナー観によって変わる。「「主人」は主従関係を表す」と考える人は、他人が「主人」と言うのを聞くと、内心で「えっ。この人、自分の夫を「主人」と呼ぶような人だったの！」と驚くかもしれない。

第二に、そう考えると、ニュートラルな呼び方を選びたいと思うが、誰にとってもニュートラルな呼び名はない。世代や地域、場面のフォーマルさ、所属するグループなどによって「当たり前」の呼び名が異なるからだ。「嫁」と「旦那」が当たり前のグループでは、「妻」と「夫」も気取っているように聞こえるかもしれない。自分にとって「当たり前」の呼び名でも、誤解されてしまう可能性があるのだ。

松山ケンイチの「嫁」

俳優の松山ケンイチは、二〇二一年にテレビ番組で自身の節約生活について語るなかで、髪は自分で切るほか、「嫁に切ってもらったり」と話した。

するると、ツイッター（現X）で「自分は嫁呼びされたら嫌」という声の一方で、「嫁って言葉ダメなの？」との意見があった。松山は、「嫁」に対する批判を受けて、その後、「妻」に変えたそうだ。[*8]

この例は、「嫁」という松山にとっては「当たり前」の呼び名でも、聞く人によっては「嫌だ」と感じる人がいる一方、そうでない人もいることを示している。つまり、「パートナーを嫁と呼ぶ人」の印象は、人によって違う。違うけれども、多くの人が「嫁」から何らかの意味を読み取った。

さらに、その意見をいろいろな人がツイッターに書いた。ツイッターに書かれた意見は、批判したり擁護したりとさまざまだが、パートナーをどう呼ぶかで、その人物の印象を人々が想像していることが分かる。「嫁」ということばを聞いて、「意見を言いたい」と感じた人がいるのだ。

本章の最初で確認したように、呼び名には関係をつくる働きがある。だとしたら、そのような反応も理解できる。そして、松山のような著名人は批判に対応しなければならない。パートナーの呼び名のむずかしさを象徴する事例だ。

「大谷翔平の妻」を日本のメディアは何と呼んだか？

もっともむずかしいのが、③の他人のパートナーを呼ぶときだ。それは、聞き手に受け入れられる呼び名を探りながら、さらに、丁寧に呼ぶ必要があるからだ。

自分は夫を「主人」と呼んでいなくても、相手が「ご主人」と呼ばれることを当たり前だと考えている人だと、他の呼称では不快に思われる可能性がある。だから、自分のパートナーは「妻・夫」と呼び変えた人でも、他人のパートナーは「奥さん・旦那さん」と呼ぶ。つまり、日本語の話し手にとって、「妻・夫」は、他人のパートナーに使えるほど「丁寧」ではないということになる。

その結果、「妻」と「奥さま」は微妙に使い分けられている。この微妙な使い分けが日本中に溢《あふ》れたのが、MLB選手の大谷翔平が、Xに妻との写真を投稿した二〇二四年三月一五日だ。

まず、多くのオンライン記事が、見出しでも本文でも「妻」を使用した。

「大谷翔平選手が妻との写真投稿」（日本経済新聞）、「「やっぱり！」大谷翔平、妻公開」（デイリースポーツ）、「大谷翔平、妻との写真公開」（日刊スポーツ）、「大谷翔平が妻を公開」（スポーツ報知）、「大谷翔平「妻の写真」」（テレビ朝日）、「ドジャース　大谷翔平と妻との写真を投稿」（NHK）など。

「妻」が使われた最大の理由は、所属球団のドジャースが、写真の女性が大谷の妻であることを公式Xで認めたときの his wife が「彼の妻」と訳され、ほとんどの記事がそれを引用したからだろう。wifeを妻と訳すのは当たり前だと思うかもしれないが、たとえばMLB選手の妻の会である The wives club は「奥さま会」や「夫人会」と訳されている。[*9] his wife=「彼の妻」という邦訳のおかげで、記事の見出しや本文では「妻」が使われた。

一方、それらの記事に挙げられたSNSの投稿、テレビ司会者や専門家のコメントは、ほとんどが「奥さん」や「奥さま」を使っていた。

たとえば、「SNS上では「大谷さんの奥様が初登場」、「大谷翔平の奥さん素敵ー！」と話題沸騰」[*10]。情報番組に出演した俳優は、「奥さんの画像って出てこないんだろうなって思ってたんですけど[*11]」。また、イメージ戦略専門家は、「すばらしいです。誰ですか？

この奥さまと思われる女性のデビュー戦を考えたのは」と驚嘆。[*12]

つまり、記事の見出しや本文のように、出来事を客観的に説明している体裁をとっていて、書き手と「話題にしている人物（この場合は大谷の妻）」の関係が取り沙汰されない場合は「妻」を使うことができる。しかし、SNSに投稿した人やテレビ司会者、専門家は、話題にしている人物を「妻」と呼ぶか「奥さん／奥さま」と呼ぶかで、相手との関係が表現され、自分がどのような人物かも表現してしまう。そのため、他人のパートナーに使えるほど丁寧ではない「妻」は避けて、より丁寧な「奥さん」や「奥さま」を使ったと考えられるのだ。

「他人のパートナーは丁寧に呼ぶ」というルール

この「他人のパートナーは丁寧に呼ぶ」というルールは、日本語の話し手にとって、非常に重要なことであるようだ。二〇二一年にハフポストが行った調査（以下、「ハフポスト二〇二一年調査」）では、次のように、他人のパートナーには、「改まった呼び名」や「丁寧な表現」を使いたいという意見が寄せられた。[*13]

・会話相手の夫に対して、旦那さん、ご主人以外に改まった呼び名が浸透していない
（女性30代）

・主人や旦那といった表現は避けたいのですが、ビジネスの場などで丁寧な表現をしようとすると、「ご主人」「奥様」とつい口に出てしまう
（女性30代）

主従関係が含意される「主人」や「旦那」を使いたくない人でも、丁寧な呼び方にしようとすると、使わざるを得ない。「中日二〇二三年調査」でも、次のように「丁寧さ」や「丁寧な呼び方」が重視されている。

・奥さん、奥さまや、旦那さん、旦那さまと言われて不快に感じる人もいるというのは分かっているが、それ以外に、丁寧さを出しながらなじむ表現が分からない。
（10代女性・学生）

・「主人」という呼び方に違和感を感じる。かといって相手の配偶者を呼ぶ時、丁寧な呼び

方で適当な呼び方が思い浮かばない。（40代女性・パート）

これらの意見は、日本語の話し手の言語イデオロギーについて、二つの興味深い点を示している。第一は、日本語の話し手がパートナーの呼び名を選ぶときには、自分の気持ちよりも言葉づかいのルールを優先するということだ。

「主人や旦那といった表現は避けたい」や「『主人』という呼び方に違和感を感じる」という自分の気持ちと、「他人のパートナーは丁寧に呼ぶ」という言葉づかいのルールが衝突した場合、自分の感覚よりもルールを優先している。「自分はこんなパートナー関係を表現したい」という自分の考えよりも、ルールに従った丁寧な呼び方を選んでいるのだ。

この「自分の考え」よりも「言葉づかいのルールを優先する」という傾向は、第七章で詳しく見ていく日本語の話し手の言語イデオロギーとも密接に関わっているので、覚えておいてほしい。

第二は、先にも述べたように、日本語の話し手にとって「妻／夫」は、他人のパートナーに使えるほど丁寧ではないが、一方で、「奥さん／ご主人」には、丁寧さが読み取られている点だ。

そう言われると確かに、非常に丁寧な呼び方が必要な高級ホテルなどでは、「奥さま」や「ご主人さま」などの家制度をそのまま表現した呼称が使われる。結婚式の披露宴会場に入ったところ、自分の席の名札に「夫の姓名」＋「令夫人」と書いてあるのを見て、「冷たい妻のこと？　なんで分かったのかと思った」と話してくれた友人がいる。

なぜ、家制度で使われていた呼称は丁寧だとみなされているのだろうか。「主人」が普及した過程から探っていく。

戦後までは「夫」が使われていた

実は、書き言葉で「主人」が〈夫〉の意味で使われるようになったのは、戦後になってからだ。「夫」と「主人」については、封建的な時代には「主人」が使われていたが、現代の（進歩的な？）私たちが「夫と呼ぼう」と言っていると理解されることが多い。

しかし、日本語学者の遠藤織枝によれば、少なくとも新聞投書などの書き言葉では、明治時代から昭和初期まで最も頻繁に使われていたのは「夫」であり、「主人」が「夫」と同じぐらい使われるようになり、国語辞典の「主人」の語義に「妻からの呼称」と掲載されるようになったのは、戦後の一九五五（昭和三〇）年以降だという。[*14]

明治時代に活躍した女性たちは、「主人」を使っていなかった。平塚らいてうは夫を「姓」で呼び、長谷川時雨は「つれあい」、岡本かの子は「一平」と名で呼んでいたそうだ。

他方、話し言葉では、一九〇五（明治三八）年ごろには「主人」も選択肢のひとつとして使われていたようだ。戦後に夫の意味で使われるようになった「主人」は順調に普及し、一九七〇年代には、「主人」を使う人が六〇％以上になっている。では、なぜ「主人」が戦後多用されるようになったのか。

「主人」の〈高級感〉

その理由として、ひとつ指摘できるのは、大正時代に入って「上流夫人」と呼ばれる女性たちが「主人」を使い始めている事実だ。

たとえば、一九一六(大正五)年一一月二一日の『東京日日新聞』掲載の「新たに外相夫人　本野子爵夫人久子の方」という記事では、本野子爵夫人が次のように、夫を「主人」と呼んでいる。

『主人《しゅじん》は今朝(廿日《はつか》)八時頃から何処《どこ》かへ出掛けました(……)』

もっとも、「しゅじん」にどの漢字をあてるかは、まだ揺れ動いていたようで、同年九月一八日の『東京日日新聞』掲載記事「雄々し、上田敏博士未亡人」では、「主人」と「良人」の二つが使われ、「良人」には、「しゅじん」と「おっと」の二種類のルビを振っている。

悦子未亡人は落ち付いた調子で(……)『主人《しゅじん》の死があまりに急であった為めに遺言も何もありませんが私には良人《しゅじん》の考えて居た事がよく解っていますから(……)』と語られる

言葉の中に亡《うち》き良人《おっと》を偲《しの》び（……）

ちなみに、この記事に使われている「未亡人」は〈夫が亡くなった妻〉を指すことばとして使われていたが、「未（まだ）亡（なくなっていない）人（ひと）」とはあまりにも失礼だという理由で、避けられることが多いことばだ。

また、社会的地位の高い男性にも、「御主人」だけでなく「御亭主」が使われている。たとえば、一九二六（大正一五）年一〇月一四日『朝日新聞』の「御主人の位階勲等順に」では、「御主人」と「御亭主」が用いられ、大臣夫人は「奥様」と呼ばれている。

若槻首相夫人とく子さんが主人役《しゅじんやく》で、十三日午後五時から永田町首相官邸に閣僚および政務官の夫人を招いて一タの晩餐会を催したお集まりの奥様達《おくさまたち》三十余名、晩餐中も大臣夫人は御亭主《ごていしゅ》の官等位階勲等によって席順を決め、お芝居の話、子供の話、主人《しゅじん》の帰りが遅いから（……）等々をお上品に話し合って（……）

見出しの「御主人」は夫を指すが、本文最初の「主人役」の「主人」は、客をもてなす役割を意味している。「御主人」と「御亭主」両方が使われていることから、大臣にも「亭主」を使っていたことが分かる。他人の夫には「御」をつけて丁寧にしているのは、現在と同じだ。「御主人」と「御亭主」は、記者が大臣を指す場合、最後の「主人」は、夫人が自分の夫を指す場合だ。

また、「御主人」と「御亭主」に対応する大臣夫人の呼び名として「奥様」が使われている点も注目に値する。現在でも「丁寧だ」と言われる「ご主人」と「奥さま」がすでに出そろっているからだ。

一九一〇年代の大正時代に上流夫人たちが「主人」を使いはじめたことで、「主人」は他の呼び名よりも高級感のあることばだとみなされるようになっただろう。それが戦後の高度成長期を経て、日本が「一億総中流社会」と言われるほどに裕福になった一九六〇年代に入ったときに、「主人」が「亭主」や「旦那」より普及した一因かもしれない。

だとしたら、戦後に「主人」が普及した理由は、中流らしさを演出したいという話し手の気持ちである可能性がある。実態とは無関係に、夫を「主人」と呼ぶだけで、我が家が中流であることを演出できる。「主人」の普及は、夫婦の主従関係というより、むしろ、「主人」の〈高級感〉が好まれた結果ではないか。「主人」は、家制度を表現しているからと言うよりも、〈高級感〉と結びついているから「丁寧だ」と考えられているという推測が成り立つ。

〈高級感〉に注目すると、次章で見ていく「おつれあい」や「パートナーの方」など、主従関係のない呼び名を普及させるきっかけもつかめるような気がする。これらの呼び名を、高級ホテルなどで積極的に使ってもらうことが、ひとつの方法になるかもしれないのだ。

本章では、パートナーの呼び名に関する問題の核心は、他人のパートナーは丁寧に呼びたいが、「妻／夫」には丁寧さが薄いため、「奥さま／ご主人さま」を使い続けなければならない点であることを見た。このジレンマの中で、多くの話し手が、「「奥さま／ご主人さま」は避けたい」という自分の考えよりも、「他人のパートナーは丁寧に呼ぶ」という言葉づかいのルールを優先していることも分かった。また、「主人」の〈丁寧な呼び名〉という意味は、〈夫婦の主従関係〉というより、〈高級感〉からもたらされた可能性を指摘した。

次章では、これまで提案されてきた新しいパートナーの呼び名に対する人々の意見を見ていくことで、日本語の話し手が持つ言語イデオロギーを明らかにしていく。

第七章　「パートナーの呼び名問題」解決編

第六章で見た、「パートナーの呼び名問題」を解決すべく、これまで、主従関係や家制度を含意しない、さまざまな呼び名が提案されている。しかし、新しい呼び名はなかなか普及しない。本章では、私たちが日本語に対して持っている言語イデオロギーの観点から、新しい呼び名が使われにくい理由を探っていく。

呼び名の代案とその問題

これまで、自分のパートナーについて人に話す場合には、「名」や「姓」、「ニックネーム」、「夫／妻」や「つれあい」、「パートナー」などが提案されている。

他人のパートナーを指す場合の呼称としては、「おつれあい」「おつれあいさん」や「夫さん／妻さん」、「パートナーの方」などが提案されている。「さん」や「の方」を付けることで丁寧にして、他人のパートナーにも使いやすいように工夫されている。

「つれあい」や「パートナー」が提案された背景には、性別を表さない呼び名が良いという考え方がある。「ハフポスト二〇二一年調査」でも、これまでに提案されている呼び名の中で、どれを使いたいかという質問に、以下のような理由が挙げられていた。[*1]

・「パートナー」：主従関係とジェンダーに関する情報を含まない、一番ニュートラルな言葉（男性三〇代）

・「連れ合い」：手を取り合って人生を歩むという意味でも、性別を限定しないという意味でも、素晴らしい言葉（答えたくない　四〇代）

これらの意見には、同性のパートナー関係も含めた多様な関係を受け入れたいという意志が感じられる。

しかし、新しい呼び名を使うと聞き返されることが多いという指摘もある。たとえば、同じ「ハフポスト二〇二一年調査」には、以下のような体験が書き込まれている。

・「夫さん」を使うと、九割方、聞き返される印象。「弟」と間違えられることも
（女性五〇代）
・「パートナーの方」と言うと、「うちの主人／旦那のこと？」と聞き返されることが
（女性二〇代）
・「パートナーの方」と言ったら、「違う。結婚している」と返されたことがあった
（女性四〇代）

これらは、聞き慣れない人が「夫さん」を「弟さん」と間違えたり、「パートナーの方」の意味を確認されるという例だ。

「パートナー」は結婚していない人なのか

興味深いのは三つ目の例だ。「パートナーの方」に対して「違う。結婚している」と反応するのは、「パートナー」に〈結婚していない〉という意味を読み取っているからだ。

驚いたことに、日本語を第二言語として学ぶ人向けの日本語教科書の中には、「パートナー」を〈結婚していない〉という意味のことばだとしているものがある。

たとえば、『初級日本語 げんき』では、主に「奥さん」と「ご主人」が使われているが、二〇二〇年の第三版からは、「パートナー」も採用されている。しかし、「パートナー」が使われているのは、次のような例文だ。

彼／彼女／パートナーがけちで、何もくれないんです。*2

ここでの「／」は、〈または〉という意味なので、この例文が示している「パートナー」の意味は、「彼」や「彼女」と同じ、〈恋人〉という意味だ。

つまり、この教科書では、「奥さん」と「ご主人」は結婚しているカップルに用い、「彼／彼女」と「パートナー」は、結婚していないカップルに用いるという「違い」を教えている。

これが何を意味しているのかというと、「パートナー」という新しい呼び名を、これまでの〈法的に結婚をしている〉／〈法的に結婚をしていない〉という区別を変更しないような形で導入しているということだ。

「パートナー」ということばは、さまざまな意味で、これまでの区別を曖昧にすることばだ。第一に、結婚しているかどうかの区別を曖昧にし、婚姻制度の正当性に疑問を投げかける。第二に、カップルが異性同士か同性同士かの区別も曖昧にして、異性愛規範の正当性にも疑問を投げかける。

けれども、「奥さん」と「ご主人」は結婚しているカップルに用い、「彼・彼女・パートナー」は結婚していないカップルに用いれば、「パートナー」が婚姻制度に影響を与えることはない。「パートナー」は、結婚していないカップルが、異性同士か同性同士かの区別を曖昧にするだけだ。

その意味で、「パートナー」を〈結婚していないカップル〉に限るという使い方は、第四章で見た、それまでの区別を変更させないようにその意味を変えてしまう「意味の規制」の一例だ。

こんがらがるMs. Mr. Mrs.

このような対応は、英語にMs.という敬称が提案されたときにも観察された。それまでの英語の敬称では、男性にはMr.を用い、女性の場合は、結婚している人にはMrs.を、未婚の人にはMissを用いていた。女性だけ、結婚しているかいないかを示す敬称の区別があったのだ。これに対して、女性も結婚しているかどうかに関係なく呼べる敬称としてMs.が提案された。

ところが、その後のMs.の使われ方には、「パートナー」と同じような現象が見られた。Ms.は、たんにMissの代わりに用いられ、Ms.（未婚の女）／Mrs.（既婚の女）／Mr.（男）と使われたり、Mrs.（既婚の女）／Miss（未婚の女）／Ms.（離婚した女）のように使われる例が出てきたのだ[*3]。

つまり、従来Mrs.とMissによって区別されてきた、婚姻による女性の区別という枠組みを変えない形で、Ms.が〈未婚の女〉、または〈離婚した女〉を表す敬称として、その枠組みの中に取り込まれた。従来の枠組みを変えない形で意味が変化したという意味で、これも「意味の規制」の一例だ。

その後、多くの人が、繰り返しMs.を使う意義を主張した結果、現在ではこのようなMs.の使い方は受け入れられていない。しかし、Ms.を女性に、Mr.を男性に用いることは、人間を男女に区別している、つまり、第二章で見た、男女を二項対立に表現している点で使いにくい。

私たちは、第一章で、「セクハラ」ということばが提案されたときに、このことばの意味をゆがめて被害者を揶揄《やゆ》する言説が生まれたことを見た。新しいことばや呼び名は、新しい視点をもたらすがゆえに、そのことばに関する「意味の闘争」や「意味の規制」が始まるのだ。

「パートナー」という新しい呼び名についても、〈結婚していないカップル〉と〈婚姻関係に関わりなくカップルを指す〉という二つの意味の闘争が生まれた。今後「パートナー」がどのような呼び名として普及するのか、注視していこう。

対等なパートナーの呼び名は七〇年前から提案されてきた

先に見た、新しい呼び名を使うと聞き返される例は、それらの呼び名が十分に普及していないことを示している。しかし、主従関係を表さない呼び名は、実は七〇年近く前から提案されてきた。別に、「新しい」呼び名ではないのだ。

たとえば、一九五五年に、戦争や貧困から子どもを守るために母親たちが団結することを目的に、第一回日本母親大会が開催された。その呼びかけの中には、「主人を夫と言いましょう。父兄と言わないで父母といいましょう」という、ことばに関する提案も含まれている。[*4] 一九七三年五月二六日『朝日新聞』の「むずかしい「主人」追放」という記事では、評論家の丸岡秀子が他人のパートナーを指す「ご夫君」「おつれあい」「夫サン」のうち、自分は「夫サン」を使うと話している。一九七五年には「国際婦人年をきっかけとして行動を起こす女たちの会」が「主人」を「夫、つれあい、配偶者」、「ご主人様」を「ご夫君、おつれあい様」に変えるようにNHKに要望している。[*5]「パートナー」以外の他人の夫を指す呼び名（「夫さん」「おつれあい」「おつれあい様」「ご夫君」）は、かなり前から提案され、使われているのだ。七〇年間、提案し続けても、なかなか普及しないのは、なぜだろう。

「正しい日本語」を話したい

この点について、二〇二三年に、働く女性向けウェブメディアのOggi.jpが行ったアンケート（以下、「Oggi二〇二三年調査」）が興味深い。*6

女性読者に人前での配偶者の呼び方を聞いたアンケートでは、三五・三％が「旦那」、二一・六％が「夫」、一五・七％が「主人」を使うと回答している。しかし不思議なことに、選んだ呼び名は異なるにもかかわらず、選んだ理由が非常に似通っているのだ。

「旦那」を選んだ女性は、その理由を「一番恥ずかしくない呼び方」（20代・富山県）だからと回答。

「主人」を使うと答えた女性は「常識的な呼び方と思っている」（30代・神奈川県）、「正式な呼び方だと思ったから」（30代・東京都）、「日本では主人が一般的だと思う」（20代・大阪府）、「どこで話すにも恥ずかしくないから」（20代・神奈川県）、「自分の視点から見る配偶者は、主人が正しいと思う」（30代・神奈川県）と回答。

「夫」を使う女性は「間違いのない呼び名だから」（30代・北海道）、「メジャーな呼び方で、恥ずかしくない」（30代・山口県）、「調べたら夫って呼ぶのが一般的に正しかったから」（30代・東京都）と回答したのだ。

これらの「恥ずかしくない」「常識的」「正式」「一般的」「正しい」「間違いのない」「正しかった」という表現からは、日本語の話し手がことばを選ぶ基準について、何を重視するのかが明確に表れている。

一言で言えば、「正しい日本語」を話すことだ。「間違った日本語＝恥ずかしい」「正しい日本語＝恥ずかしくない」という価値観は、日本語を「正しいかどうか」という基準で評価する傾向を示している。日本語の話し手は、自分がどのような呼び名で、どのようなパートナー関係を表現したいのかを考える前に、正しい日本語かどうかでことばを選ぶようだ。

このような言語イデオロギーを、本書では「正しい日本語観」と呼ぶ。「正しい日本語観」は、主に二つの考え方から成っている。

ひとつは、日本語は、それぞれの場面で正しい話し方が決まっており、話し手にとって大切なことは、正しい話し方のルールを学び、そのルールに適切に従うことだ、という考え方だ。

二つ目は、正しい話し方のルールは、すでに決まっており、一般の話し手には、ルールを変更する権利も、責任もない、という考え方だ。

すぐ分かるとおり、この二つの考え方は密接につながっており、「正しい日本語観」はこの二つの、日本語の使い方に関する従順で受け身な態度に特徴付けられる。順番に見ていこう。

正しい話し方のルールに従う重要性

第一の「正しい話し方のルールに従う重要性」は、特に敬語の使い方に関する意見に多く見られる。敬語に関する数多くの公的、私的な言説は、それぞれの場面には適切な呼び名や話し方があることを強調している。たとえば、二〇〇七年に文化審議会が答申した『敬語の指針』の「自分や相手の呼び方の問題」では、以下のように述べられている。

自分のことをどう呼ぶかについては，場面に応じたふさわしい言い方がある。ただし，必ずこうしなければいけないという決まりがあるわけではない。[*7]

ここには「必ずこうしなければいけないという決まりがあるわけではない」とも書いてあるが、その前に「場面に応じたふさわしい言い方がある」とある。「ふさわしい言い方」をしなければ、「適切な選択ができない人」とみなされてしまうかもしれない。呼称に関しても、「場面にふさわしい選択」は重要なのだ。

言語学者の岡本成子《しげこ》とジャネット・シバモト‐スミスは、敬語に関する日本政府の出版物を丹念に分析し、「日本政府は、それぞれの場面には正しい敬語があるという考え方をつくり出し、社会に普及させる上で、積極的な役割を果たしてきた」と指摘している。[*8]

敬語だけではない。日本語の話し手が「正しい話し方のルール」を重視する傾向は、第六章で見た、他人のパートナーを呼ぶ時の選択にも表れている。「主人」や「旦那」に違和感を持っていても、「他人のパートナーは丁寧に呼ぶ」という言葉づかいのルールを優先する。どのような呼び名を使って、どのようなパートナー関係を表現したいのかという、自分の考えよりも、「正しい」とされている規範を尊重するのだ。

アメリカの大学では先生をどう呼ぶか

長いあいだ、「正しい言い方を選ぶ」ことに意識が向いていると、「自分の考えでことばを選ぶ」経験は減っていく。この二つの違いを、私自身が実感した出来事がある。

四〇年以上前にアメリカに留学したときだ。周りの学生を見ていると、教授をいろいろな名前で呼んでいた。そこで、一番お世話になっていた教授に、「先生のことを何と呼んだら良いですか？」と聞いた。すると、

「何と呼んでもかまわない。プロフェッサー・スミスでもいいし、ミスター・スミスでもいいし、ジョンでもいい」

と答えたのだ。そう言われて、私は、次の言葉が出てこなかった。教授をなんと呼んだら良いか、自分で決められなかったからだ。

日本にいたときは、何も考えずに「○○先生」と呼んでいれば良かった。それが「正しい」呼び方であり、大事なのは、場面にふさわしい「正しい」呼び方を学んで、それ

を使えることだった。先生をなんと呼びたいか、自分で考えて決めるなどということは、思ってもみなかった。だから、相手とどういう関係でいたいのかを考えて「自分らしい呼び方」を選ぶことなどできなかったのだ。

この出来事は、私に日本語観について考える機会を与えてくれた。私たちは、場面に適したことばを選ぶことにかけては有能だ。それは、それぞれの場面には、その場面に適した正しいことばの使い方があると考えているからだ。どのようなことばが、どのような場面に適切かはすでに決まっている。必要なことは、「正しい日本語」のルールを習得してことばを使い分けること。

このようなスタンスは、日本語を「正しいか／正しくないか」という視点でばかり捉える傾向を強める。人の話し方を聞いていても、自分が話し方を選ぶときにも、それが「正しい話し方かどうか」ばかりが気になる。

もちろん英語でも、「場面に適したことばを選ぶ」ことは重要だと考えられている。しかし、それと同じぐらい重視されるのは「選択がある」ことだ。北米では「自由」の具体例のひとつが「選択があること」だ。だから、「自分を何と呼んでもかまわない」

と言った教授は、ある意味、私に「選択する自由」を与えてくれたのだ。

「自分で考える」より「正しいもの」を選びたい？

文化によっては、この「選択する自由」を幼少期から与えている。三〇年ほど前に、娘がカナダの小学一年生になったときのことだ。担任の先生から、クラスの子どもたちに日本の折り紙を教えてくれと頼まれた。ところが、私がはりきって教室に入ると、先生が一番に宣言したのだ。

「モモコから折り紙を習いたい人は教室の前に来て。習いたくない人は、うしろの読書コーナーで本を読んでいてください」

すると、数人の子どもが、教室の後ろにトコトコと歩いていった。

これには、驚いた。日本の小学校ではみんなが同じ事をするのが当たり前だった。ところが、カナダの先生は小学一年生にも「選択する自由」を与えたのだ。さらに、小学一年生でも選択する機会を与えられれば、自分がどうしたいか決めて行動することができるのだ。

当時の私と言えば、昼食を食べるにも付け合わせはフライドポテトかマッシュポテトかにはじまって、サラダのドレッシングまで選ばなければならないのが面倒くさくて、「早く日本に帰って、「A定食!」って注文したいなあ」と思っていた。「選択する自由」が苦痛だった。そんな私が、教授をなんと呼ぶかなど決められるはずもなかった。

もちろん、カナダにも「選択する自由」が面倒な人はいるし、日本にも選択できる人はいるだろう。ただ、「正しいものを選ぶ」と「自分で選択する」がどのくらい強調されているのか、その程度が異なるのだ。

これは、どちらが良いという話ではない。カナダでは、自分の選択に固執して、人間関係がうまくいかなくなってしまった例も見てきた。ここで確認したいのは、日本語の話し手は、「自分の考えで選択する」よりも「正しい話し方」のルールを優先する傾向が強いという点だ。

ルールを優先するという従順な意識は、自分ではなく「誰かに正しい呼び名を決めてほしい」という人任せな姿勢につながる。

誰かに決めてほしい

「正しい日本語観」を特徴付ける二つ目の考え方は、「一般の話し手には、正しい話し方を決める権利はない」というものだ。この考え方は、アンケートに寄せられた意見に、もっとも端的に表現されている。パートナーの呼び名問題を解決するために、「誰かに正しい呼び名を決めてほしい」という意見があるのだ。

・もう、新しく作り出して欲しい！　愛着もわきそうな、男女対等でフランクで、けれど失礼でないような呼び方を。日本語学者とか、古典学者とか、だれか良い案ありませんかね。
（女性30代、「ハフポスト二〇二一年調査」）

・男女関係なく〇〇と呼びましょう！　とか決定してほしい。
（女性30代、「ハフポスト二〇二一年調査」）

・良くない呼び名があるなら良い呼び名はこうであると示してほしい。
（50代男性・公務員、「中日二〇二三年調査」）

二〇二二年二月にテレビ番組『五時に夢中！』で、パートナーの呼び名問題が取り上げられた。出演していたマツコデラックスは、他人のパートナーをどう呼ぶかについて以下のように訴えた。

「正しい言葉を教えてよ。私たちずっと悩んでるのよ[*9]」

これらの意見から分かるのは、自分たちには何が正しい呼び名か決める資格はない、あるいは、決める責任を取りたくないという意識だろう。だから、「日本語学者とか、古典学者とか」、自分以外の誰かに決めてほしいと訴える。誰かが決めてくれれば、「私たち」は責任を取る必要がない。

法律で決めればすぐに変わる

「誰かに決めてほしい」という意識は、呼び名に関して法律などが制定されれば、大した抵抗もなく新しい呼び名が普及することを見ても明らかだ。

たとえば、第一章でも見たように、二〇〇二年に「看護婦」が「看護師」に変更された。それまで、この職業に従事している人のほとんどが女性だったこともあり、「婦」

という女性を表す漢字が使われていた。ごく少数の男性には「看護士」が使われていた。しかし、二〇〇一年に「保健婦助産婦看護婦法」が「保健師助産師看護師法」に名称変更され、翌年には性別による呼び名の区別が撤廃され、男女ともに「看護師」となった。背景には、男女雇用機会均等法に基づいて、男性の就業をうながす目的があると言われている。

「看護婦」から「看護師」への変更はまたたく間に受け入れられ、ジェンダー中立な「看護師」は日本全国に普及していった。主従関係を表さないパートナーの呼び名が七〇年近くも普及していないのに、「看護師」が順調に普及した理由は、法的な決定があるかないかだろう。日本語の話し手は、法的な決定があれば、つまり個人ではなく国が責任を取ってくれるのならば、呼び名を変えることに抵抗感が小さいのだ。

普及のために① 組織で取り決めてしまう

では、主従関係を表さない呼び名を使いやすくするために、どんなことができるだろう。ここまで見てきたことから、二つのアイデアが明らかになった。

ひとつは、本章で明らかになった「正しい日本語観」の二番目の特徴、日本語の話し手は「正しい話し方」を決める責任を取りたくないという傾向だ。そうだとしたら、個人より組織的な取り組みの方が、主従関係を表さない呼び名に切り替えやすいことになる。実際、メディアや行政を含むさまざまな組織が呼び名について取り決めをすることで、個々の働き手が悩まなくて済む環境を整えている。

紙媒体のメディアでは、出産・育児雑誌『たまごクラブ』『ひよこクラブ』が、二〇一六年ごろから、「主人」「旦那」を原則使わないことにしている。これらの呼び名が主従関係を想起させるためで、子育てを母親に限定しない考え方に基づくという。また、子連れの再婚家族や同性カップルなど、家族が多様化していることを考慮して、読者アンケートには「配偶者やパートナー」と載せるようにしている。[*10]

また、『日本経済新聞』の記事によれば、働く女性や子育て中の女性向け雑誌『VERY』も、二〇一八年ごろから「主人」を「夫」に変更した。世の中に発信する雑誌として中立的な表記が適切だという考えからだ。[*11]

テレビのような音声メディアでは、字幕を工夫しているところもある。二〇一八年一二月に都内で開催された「ジェンダーとコミュニケーション会議」に登壇した、NHKの情報番組「あさイチ」のデスクは、「放送中に流すVTRで、発言者が「嫁」と言った場合でも、字幕は「妻」にしている」という。[*12]

そう言われて注意して観ていると、Eテレ（教育テレビ）のある番組では、子育てについて一般の母親が語っている場面で、「主人はその辺は理解があって」と言っているときに、字幕は「夫はその辺は理解があって」となっていた。

「おもしろいな」と思ったのは、二〇二三年四月二四日にNHKが放送した『鶴瓶の家族に乾杯』で愛媛県松山市を訪れた回だ。松山市にはこの番組の案内役の笑福亭鶴瓶の妻が通った高校があり、鶴瓶は「ここ、嫁が出た高校」と紹介。ところが、字幕は「ここ、妻が出た高校」となっていた。これには、ちょっと笑ってしまった。私がイメージする笑福亭鶴瓶は、大阪弁の「嫁」がぴったりで、「妻」とは言わないだろうなと思ったからだ。

行政の対応も豊富で、多くの市が表現ガイドラインを作り、その中でパートナーの呼び名に関する指針を示している。その多くは市民に対してというよりも市職員の利用を想定して作成したものだ。つまり、個々の職員が市の広報などを作成するときに、個人が責任を取る必要がないようにするために作られているのだ。

たとえば、兵庫県伊丹《いたみ》市の「表現ガイドライン」は、次のように提案している。

「ご主人」「奥さん」については、刊行物等の中では使用しない。（……）発信する情報においては、男女が互いに尊重し合う対等な関係を表す言葉として、（……）「配偶者、連れ合い、パートナー」など適切な言葉を使うように心掛けましょう。

また、異性パートナーを前提とした固定概念による、関係性の表現を避けるなど、性的マイノリティとされる方々への配慮も必要です。[*13]

前出の『日本経済新聞』の記事では、企業やＮＰＯの取り組みも伝えている。クラウド会計ソフトのfreeeを提供するフリー株式会社では、二〇一八年から配偶者について話す際には「パートナー」を使うことを奨励している。「誰もが生きづらさを感じる当事者になり得る。中立的な表現にすることが大切だ」という考えからだ。また、東京都千代田区にある、親子支援を行う認定NPO法人フローレンスも、二〇一七年から内部でのやりとりでは「主人」を「夫」や「パートナー」に変えた。「普段使う言葉は個人や社会の価値観を表す。中立的な表現にすることで、誰もが自分らしく暮らせる社会につながる」と言う。[*14]

このような対応の背景には、企業や自治体のイメージ戦略という側面もあるだろう。対等で多様なパートナー関係を支持していることを打ち出せば、組織のイメージアップに貢献する。

普及のために② 〈高級感〉を逆手に取る

主従関係を表さない呼び名を使いやすくするための、もうひとつのアイデアは、第六章で見た〈高級感〉だ。「ご主人さま」や「奥さま」は、〈高級感〉との結びつきから丁寧な呼び名になった可能性がある。だとしたら、「おつれあいさま」や「パートナーの方」も高級ホテルやレストランでどんどん使ってもらえば、丁寧な呼び名として、他人のパートナーを指すときにも使いやすくなるかもしれない。

前出の「ハフポスト二〇二一年調査」に、次のような意見があった。

・「ご主人さま」や「旦那さま」などと呼びたくないのだが、上司から強制される

（男性30代）

上司が強制するのは、この男性の職場が〈高級感〉を重視しているからかもしれない。しかし先に指摘したように、多くの組織がそのイメージ戦略のひとつとして、対等なパートナー関係を表す呼び名に変更している。いつまでも旧来の〈高級感〉にこだわって「ご主人さま」や「奥さま」を使い続けるのは、企業にとって得策とは言えない。むしろ、「おつれあいさま」や「パートナーの方」を積極的に使うことで、誰にとっても心地よいサービスを提供する組織であることをアピールできるのではないか。

はじめは慣れないけれど聞くうちになじむ

個人で実践している人の談話には、パートナーの呼び名を変えることが社会を変化さ

せるという意識が表れている。二〇二二年に『京都新聞』の調査に答えた四〇歳の男性は、コーヒー焙煎《ばいせん》所を共同経営するパートナーから、「二人でいても女性の私には名刺が渡されない、夫はきちんと名前で呼ばれるのに、私は「奥さん」と呼ばれる」と聞き、それ以来、自身の配偶者を「パートナー」、他人の配偶者を「妻さん／夫さん」と呼ぶようにしている。今では、次のように感じているという。

「はじめは慣れなかったけど、使ううちになじんだ。言葉は社会を形作るもの。僕らがパートナーといった呼び方を使うことで、社会の意識が少しでも変わるきっかけになれば[*15]」

二〇一七年という早い時期に、ドラマの登場人物に「夫さん」を使わせたのは、二〇二三年にカンヌ映画祭で脚本賞を受賞した、脚本家の坂元裕二だ。テレビドラマ『カルテット』は、四人の弦楽奏者が軽井沢の別荘で暮らしながら、カルテットを組むお話だ。そのうちの一人の女性の夫を、残りの三人は、その女性がいる時もいない時も「夫さん」と呼ぶ。

「泊まりとなると、夫さんに叱られちゃいますよね」

「夫さんと、喧嘩《けんか》でもしたんですか？」

「夫さんはどっち派ですか？　唐揚げにレモンですか？」

このドラマでは、登場人物が自然に他人の夫を「夫さん」と呼ぶ姿を視聴者に示した。視聴者の反応は賛成、反対いろいろだった。それでも、生身の俳優が音声で「夫さん」を使うドラマが放送された意味は大きい。先の男性が指摘していたように、「はじめは慣れなかったけど、聞くうちになじむ」可能性があるからだ。

複数の呼び名の使い分けが楽しめる社会

本章では、日本語の話し手が持っている「正しい日本語観」という言語イデオロギーが、パートナーの呼び名問題の解決を難しくしている要因のひとつであることを見てきた。「誰かに決めてほしい」という姿勢が、新しい呼び名の普及を妨げている。

私が「パートナーの呼び名」について講演をすると、「他人の配偶者は何と呼ぶのが正解ですか」と質問されることが多い。けれども、パートナーの形が多様化している中で、ひとつの正解を決めることほどつまらないことはない。ひとつの正しいパートナーの形を決めることになってしまうからだ。そろそろ私たちは、「複数の呼び名がある」という状況に慣れる必要があるようだ。

パートナーを指す「複数の呼び名がある」ということは、社会にさまざまなパートナー関係があるということだ。そう考えると、パートナーの呼び名が複数あるのは、すてきなことだ。さらに言えば、たくさんの呼び名から、選べることも、すてきなことだ。「正しい日本語」にとらわれるのではなく、複数の呼び名の使い分けが楽しめる社会は、さまざまなパートナー関係を受け入れる社会だと言えるのではないか。

おわりに

ほっこり笑って、楽しく学ぶ。社会言語学のおもしろさをお伝えする第二弾。読者の皆さんには、楽しんでいただけたでしょうか。

「ことばは、こんなふうに社会に影響を与えているんだ」と感じていただけるよう、今回も、分かりやすさと読みやすさを目指して、笑えるエピソードや具体例をたくさん盛り込みました。

前著の『「自分らしさ」と日本語』に続いて、以前飼っていた愛犬の話も第五章に出てきます。すでに亡くなりましたが、一七年も一緒に過ごしたので、エピソードはつきません。書くたびに思い出させてもらい、感謝です。

前著では、「ことばの遊園地」にある「名前の国」「呼称の国」「敬語の国」「方言の国」「女ことばの国」をご紹介する、「園内マップ」を提供しました。

今回の本は、これらの国々を横断して「ことばの遊園地」全体で開催されるスペシャル・イベントとして、ことばの変化と社会変化の関係を取り上げています。前回よりも少し詳しくなっておりますので、「園内マップ」である前著と合わせてお読みいただくと、ぐっと理解が深まると思います。

また、今回は注を付けております。本文を読んで、さらに詳しく知りたいと感じた読者は、注に挙げてある本や論文に進んでいただけます。また、本文で言及している記事や動画をご覧いただけるよう、URLも注に示しています。

今回も、たくさんの方々にお世話になりました。

何より、筑摩書房の方便凌さんには、第二弾のお声がけをいただいただけでなく、いつも「おもしろいです」と励ましていただきました。ありがとうございます。

あわてたのは、原稿を確定した後の二〇二四年の三月に、MLBの大谷翔平選手が妻の写真を公表した時です。大量のオンライン記事を見ていたら、「妻」と「奥さん」の使い方についておもしろい違いが見つかりました。どうしてもその例に言及したいと思い方便さんにお願いしたところ、ご快諾いただき、第六章に入れることができました。

シンガポール国立大学の平本美恵さんには、第五章で紹介している、ガービー先生が教室で大暴れする、アメリカのコメディ動画があることを教えていただきました。

また、関東学院大学の久保田宣生さんには、『マツコ&有吉 かりそめ天国』で、「オカマ」についていて微妙なやりとりがあったことを教えていただき、第二章で取り上げることができました。

感謝と共に、読者の皆さんにお届けいたします。


二〇二四年四月、桜の花に心洗われる横浜にて

中村桃子

注

はじめに

＊1　Androutsopoulos, Jannis. 2014. Mediatization and sociolinguistic change: Key concepts, research traditions, open issues. In Jannis Androutsopoulos (ed.), *Mediatization and Sociolinguistic Change*, 3-48. Berlin/Boston: De Gruyter.

第一章

＊1　丹羽雅代（二〇一〇）「「セクシュアル・ハラスメント」――女性への暴力を可視化させたことば」中村桃子編著『ジェンダーで学ぶ言語学』世界思想社、一九七―二一三頁

＊2　働くことと性差別を考える三多摩の会編（一九九一）『女６５００人の証言――働く女の胸のうち』学陽書房

＊3　職場での性的嫌がらせと闘う裁判を支援する会編（一九九二）『職場の「常識」が変わる――福岡セクシュアル・ハラスメント裁判』インパクト出版会

＊4　丹羽、前掲書、二〇九頁

＊5　フーコー、ミシェル（二〇〇六）中村雄二郎訳『知の考古学　新装版』河出書房新社、七七頁

＊6　上野千鶴子編（一九九七）『キャンパス性差別事情――ストップ・ザ・アカハラ』三省堂
＊7　前川直哉（二〇一四）「イケメン学の幕ひらくとき――「社会のイケメン化」をめぐる現代史」『ユリイカ』第四六巻第一〇号、二八頁
＊8　千葉雅也（二〇一四）「イケメンであるとされるということ」『ユリイカ』第四六巻第一〇号、八頁
＊9　「エトワール・ガラ　２０１６」公式サイトより
https://www.bunkamura.co.jp/orchard/lineup/16_gala/topics/_627.html
（二〇二三年一〇月二〇日アクセス）
＊10　前川、前掲書、三〇頁
＊11　ことばと女を考える会（一九八五）『国語辞典にみる女性差別』三一書房、一〇五―六頁

第二章

＊1　中村桃子（一九九五）『ことばとフェミニズム』勁草書房、五〇―四頁
＊2　小林悠太（二〇〇二）「「男だろ！」箱根駅伝の名文句　駒大・大八木監督が明かす最多22勝の神髄」『毎日新聞』
https://mainichi.jp/articles/20201216/k00/00m/050/110000c（二〇二四年一月一日アクセス）
＊3　デイリースポーツ（二〇二一）「柔道・大野将平、東京五輪「井上体制終わる切なさと2連覇の安心感」複雑な心境吐露」

https://www.daily.co.jp/olympic/tokyo2020/2021/08/01/0014553706.shtml（二〇二四年一月一日アクセス）

*4 Lakoff, Robin. 1975. *Language and Woman's Place*, 26–27. New York, Evanston, San Francisco, London: Harper & Row Publishers.

*5 寿岳章子（一九七九）『日本語と女』岩波新書、一四一頁

*6 伏見憲明（二〇〇七）『欲望問題——人は差別をなくすためだけに生きるのではない』ポット出版、四七—九頁

*7 マイナビニュース（二〇二〇）「マツコ、〝オネエ〟に違和感「本当に言いたくないの」理由を告白」https://news.mynavi.jp/article/20200229-984942/（二〇二四年一月五日アクセス）

*8 バトラー、ジュディス（一九九九）竹村和子訳『ジェンダー・トラブル——フェミニズムとアイデンティティの攪乱』青土社、二九頁

*9 ヴィンセント、キース・風間孝・河口和也（一九九七）『ゲイ・スタディーズ』青土社、九九頁

*10 ハルプリン、M・ディヴィッド（一九九七）村山敏勝訳『聖フーコー——ゲイの聖人伝に向けて』太田出版、六八頁

*11 カメロン、デボラ＆ドン・クーリック（二〇〇九）中村桃子他訳『ことばとセクシュアリティ』三元社、四三—四頁

*12 同前、一一五—六頁

*13 Rich, Adrienne. 1980. Compulsory heterosexuality and lesbian existence. *Signs* 5: 631–661.

*14 Motschenbacher, Heiko. 2011. Taking queer linguistics further: Sociolinguistic and critical heteronormativity research. *International Journal of the Sociology of Language* 212, 151.

*15 交差性が社会カテゴリーの結び付きや、カテゴリー内の区別を正当化していることは、「相互的自然化（co-naturalization)」（Rosa, Jonathan & Nelson Flores. 2017. Unsettling race and language: Toward a raciolinguistic perspective. *Language in Society* 46: 621–647.）、あるいは、「互いに構成し合う（mutually constitutive)」（Borba, Rodrigo & Tommaso M. Milani. 2019. Colonial intertexts: Discourses, bodies and stranger fetishism in the Brazilian media. *Discourse, Context & Media* 30: 100290.）と呼ばれる。

*16 Maegaard, Marie, Tommaso M. Milani & Kristine Køhler Mortensen. 2019. Mediatizing intersectionality. *Discourse, Context & Media* 32: 100349.

*17 Hiramoto, Mie. 2019."Her soul is Japanese": Naomi Osaka, mediatization, and intersectionality. *Discourse, Context & Media* 32: 100351.

*18 Ibid., 2.

*19 Motschenbacher, Heiko. 2018. Language and sexual normativity. In Kira Hall & Rusty Barrett (eds.), *The Oxford Handbook of Language and Sexuality Online*: 1–23. Oxford: Oxford University Press.

*20 Motschenbacher, Heiko. 2019. Discursive shifts associated with coming out: A corpus-based analysis of news reports about Ricky Martin. *Journal of Sociolinguistics* 23: 284-302.

＊21 Ibid., 296.

第三章

＊1 Agha, Asif. 2003. Social life of cultural value. *Language & Communication* 23: 231-273. ここでは、indexicalを読者になじみのある「意味の」と訳している。Indexicalityの専門的な日本語訳である「指標性」については、拙著『「自分らしさ」と日本語』（ちくまプリマー新書、二〇二一）の第4章をご覧ください。

＊2 Bucholtz, Mary. 2011. Race and the re-embodied voice in Hollywood film. *Language & Communication* 31: 255-265.

＊3 Squires, Lauren. 2014. From TV personality to fans and beyond: Indexical bleaching and the diffusion of a media innovation. *Journal of Linguistic Anthropology* 24 (1): 42-62.

＊4 澁澤龍彥（一九八五）『少女コレクション序説』中央公論社、一三頁

＊5 馬場伸彦（二〇一二）「はじめに――いまなぜ女子の時代なのか?」馬場伸彦・池田太臣編著『「女子」の時代!』青弓社、一〇頁

＊6 共立総合研究所（二〇一三）「主婦における女子会消費に関するアンケート～女子会の経済波及効果は全国で約3兆7，000億円、岐阜県は約480億円、愛知県は約1，760億円～」https://www.okb-kri.jp/pdf/press/20130321_shufu_joshikai.pdf

（二〇二三年五月七日アクセス）
＊7　増田のぞみ（二〇一二）「「少女マンガ」と「女子マンガ」――女性向けマンガに描かれる「働く女性」のイメージ」馬場伸彦・池田太臣編著『「女子」の時代！』青弓社、九〇―一頁
＊8　馬場、前掲書、一一頁
＊9　米澤泉（二〇一四）『「女子」の誕生』勁草書房、八二頁
＊10　HAKUHODO（二〇一二）「【コラム】「女子会」を盛り上げよう」https://www.hakuhodo.co.jp/news/info/60447/（二〇二三年五月七日アクセス）
＊11　OTONA SALONE（二〇一八）「3兆円以上の効果がある？　日本を動かす「オンナの宴」の実態」https://news.infoseek.co.jp/article/otonasalone_88926/（二〇二三年五月七日アクセス）
＊12　河原和枝（二〇一二）「「女子」の意味作用」馬場伸彦・池田太臣編著『「女子」の時代！』青弓社、三三頁
＊13　Gal, Susan. 2018. Registers in circulation: The social organization of interdiscursivity. *Signs and Society* 6 (1): 1-24.
＊14　鈴木彩加（二〇一九）『女性たちの保守運動――右傾化する日本社会のジェンダー』人文書院
＊15　安田浩一（二〇一二）『ネットと愛国――在特会の「闇」を追いかけて』講談社、一五二頁
＊16　鈴木、前掲書、一〇二頁

＊17 「なでしこアクション」は団体というよりも抗議行動ごとに参加者を募る形態をとっている。
＊18 鈴木、前掲書、七七頁
＊19 「日本女性の会　そよ風」http://www.soyokaze2009.com/soyokaze.php
「愛国女性のつどい　花時計」http://www.hanadokei2010.com/index.php
「なでしこアクション」http://nadesiko-action.org/?page_id=323
（それぞれ二〇一二年八月四日アクセス）。
＊20 Nakamura, Momoko. Forthcoming. Interdiscursive neoliberal femininity in Japan: The circulation of *joshi* 'girl' in marketing and nationalism. In Marie Maegaard & Martha Sif Karrebæk (eds.), *Language, Value Production and the Market in (Post) nationalism: Production and Transgression of National and Linguistic Borders*. De Gruyter Mouton.
＊21 鈴木、前掲書、二二六頁
＊22 「国賊天誅女子の会」のように、新しい団体の中には、「女子」を用いているところもある。
https://ameblo.jp/egoist-phoenix/entry-12718955229.html（二〇二二年八月六日アクセス）
＊23 Nakamura forthcoming, op. cit.
＊24 河添恵子・葛城奈海・赤尾由美・兼次映利加（二〇一四）『国防女子が行く――なでしこが国を思うて何が悪い』ビジネス社、一八頁

第四章

＊1　小林美香（二〇二一）「脱毛広告観察――脱毛・美容広告から読み解くジェンダー、人種、身体規範」『現代思想――特集＝ルッキズムを考える』四九巻一三号、九四頁

＊2　菊地夏野（二〇一九）『日本のポストフェミニズム――「女子力」とネオリベラリズム』大月書店

＊3　同前、一二二頁

＊4　同前、一二三頁

＊5　渡辺治（二〇〇七）「日本の新自由主義――ハーヴェイ『新自由主義』に寄せて」渡辺治監訳、森田成也・木下ちがや・大屋定晴・中村好孝訳、デヴィッド・ハーヴェイ『新自由主義――その歴史的展開と現在』作品社、二八九―三二九頁

＊6　菊地、前掲書

＊7　同前、一二三頁

＊8　Inoue, Miyako. 2007. Language and gender in an age of neoliberalism. *Gender and Language* 1 (1): 79-91.

＊9　Hains, Rebecca. 2009. Power feminism, mediated: Girl power and the commercial politics of change. *Women's Studies in Communication* 32 (1), 97.

＊10　Zaslow, Emilie. 2017. Moving from sisterhood to girl power. In Cheryl B. Travis & Jackie W. White (eds.), *APA Handbook on the Psychology of Women: Vol. 1. History, Theory, and Battlegrounds*, 48. Washington, D.C.: American Psychological Association.

＊11　菊地、前掲書、一二四頁

＊12　ミュゼプラチナム「コンセプトは「GIRLS POWER」新ミューズに『谷 まりあ』さんを起用!」https://prtimes.jp/main/html/rd/p/000000087.000008905.html（二〇二四年二月二〇日アクセス）

＊13　Richie, Donald. 2003. *The Image Factory: Fads and Fashions in Japan*, 54. London: Reaktion.

＊14　Allison, Anne. 2006. Cuteness as Japan's millennial product. In Joseph Tobin (ed.), *Pikachu's Global Adventure: The Rise and Fall of Pokemon*, 40. Durham, NC: Duke University Press.

＊15　Konstantinovskaia, Natalia. 2020. Creation of femininity in Japanese televised 'beauty ads': Traditional values, kawaii cuteness and a dash of feminism. *Gender and Language* 14 (3), 321.

＊16　Lazar, Michelle M. 2009. Entitled to consume: Postfeminist femininity and a culture of post-critique. *Discourse & Communication* 3 (4), 392.

＊17　ミュゼプラチナム、前掲サイト

＊18　馬場伸彦（二〇一二）「「かわいい」と女子写真——感覚による世界の新しい捉え方」馬場伸彦・池田太臣編著『「女子」の時代!』青弓社、七二頁

＊19　蜷川実花（二〇一二）「インタビュー Blossoming of NinaMika 蜷川実花の〈成熟/開花〉」『ユリイカ』四四巻七号、一二一頁

＊20　小林、前掲書、九四頁

＊21　Nakamura, Momoko. Forthcoming. Interdiscursive neoliberal femininity in Japan: The circulation of *joshi* 'girl' in marketing and nationalism. In Marie Maegaard & Martha Sif Karrebæk (eds.), *Language, Value Production and the Market in (Post) nationalism: Production and Transgression of National and Linguistic Borders*. De Gruyter Mouton.

＊22　森岡正博（二〇〇八）『草食系男子の恋愛学』メディアファクトリー

＊23　竹信三恵子・深澤真紀（二〇一三）「竹信三恵子×深澤真紀「家事ハラ炎上！」爆走トーク［2］「草食男子」は褒め言葉だったのに」『朝日新聞　論座アーカイブ』https://webronza.asahi.com/business/articles/2014101600002.html（二〇二三年一二月一三日アクセス）

＊24　斎藤美奈子（二〇〇四）『物は言いよう』平凡社、二四頁

＊25　同前、一六頁

＊26　田中東子編著（二〇二一）『ガールズ・メディア・スタディーズ』北樹出版

＊27　https://tomorrowgirlstroop.com/page（二〇二三年五月二〇日アクセス）

＊28　竹田恵子（二〇二一）「ジェンダー・トラブル・イン・アートワールド――日本アート界におけるジェンダーをめぐる問題」田中東子編著『ガールズ・メディア・スタディーズ』北樹出版、一二六―七頁

第五章

＊1　The Comedy Central show, *Key and Peele* (2012) Substitute Teacher. https://www.youtube.com/watch?v=Dd7FixvoKBw（二〇二四年一月五日アクセス）

＊2　Bucholtz, Mary. 2016. On being called out of one's name: Indexical bleaching as a technique of deracialization. In H. Samy Alim, John R. Rickford & Arnetha F. Ball (eds.), *Raciolinguistics: How Language Shapes Our Ideas About Race*, 273-89. Oxford: Oxford University Press.

＊3　湊彬子（二〇二二）「イングリッシュネームを「強制」された記憶　「新しい名前」を求める行為の〝強さ〟」『朝日新聞 GLOBE』https://globe.asahi.com/article/14486098（二〇二四年一月一日アクセス）

＊4　スポニチアネックス（二〇二三）「台湾出身のジュディ・オング　日本国籍となった現在の本名を明かす「どうしても気持ちが玉恵にならなくて」」https://www.sponichi.co.jp/entertainment/news/2023/06/05/kiji/20230605s00041000417000c.html（二〇二四年一月一日アクセス）

＊5　周来友（二〇二一）「日本の皆さん、習近平は「シー・チンピン」でなく「しゅう・きんぺい」でお願いします」『ニューズウィーク日本版』https://www.newsweekjapan.jp/tokyoeye/2021/06/post-73.php

（二〇二四年一月五日アクセス）
＊6　李御寧（二〇〇七）『「縮み」志向の日本人』講談社学術文庫
＊7　日刊スポーツ（二〇二三）「茂木健一郎氏「MARCH」「大東亜帝国」に嫌悪感「ぼくは絶対使わないし、使っている人軽蔑」」
https://www.nikkansports.com/entertainment/news/202302130001227.html
（二〇二四年一月五日アクセス）
＊8　Squires, Lauren. 2014. From TV personality to fans and beyond: Indexical bleaching and the diffusion of a media innovation. *Journal of Linguistic Anthropology* 24 (1): 42–62.
＊9　Ibid., 43.
＊10　Androutsopoulos, Jannis. 2016. Theorizing media, mediation and mediatization. In Nikolas Coupland (ed.), *Sociolinguistics: Theoretical Debate*, 282–302. Cambridge: Cambridge University Press.

第六章

＊1　Cameron, Deborah. 1995. *Verbal Hygiene*. London: Routledge.
＊2　Woolard, Kathryn A. & Bambi B. Schieffelin. 1994. Language ideology. *Annual Review of Anthropology* 23: 55-82.
＊3　Silverstein, Michael. 2003. Indexical order and the dialectics of Sociolinguistic Life.

Language & Communication 23: 193-229.

＊4　前田健輔（二〇二三）「「妻と呼んで」6割　実際35％」『日本経済新聞』二〇二三年三月二七日

＊5　中日新聞（二〇二三）「「配偶者の呼び方」中日ボイスに寄せられた読者の意見」https://www.chunichi.co.jp/article/768523（二〇二四年一月一日アクセス）

＊6　文化庁文化部国語課（一九九九）「国語に関する世論調査」報告書 https://www.bunka.go.jp/tokei_hakusho_shuppan/tokeichosa/kokugo_yoronchosa/h10/（二〇二四年一月一日アクセス）および前田、前掲記事

＊7　前田、前掲記事

＊8　夕刊フジ（二〇二一）「「妻」「嫁」呼称問題　松山ケンイチの発言に端を発しネットで議論　齋藤孝氏が語る怒りを買わない配偶者の呼び方」https://www.zakzak.co.jp/article/20210301-QFRCYN25SNMNVO3CZDQC2QJGVY/（二〇二四年一月一日アクセス）

＊9　めざましmedia（二〇二四）「大谷翔平夫妻もオールスターでお披露目⁉　『奥さま会』『チャリティー』〝メジャーの妻〟語る生活と役割」https://mezamashi.media/article/15187285（二〇二四年三月一五日アクセス）

＊10　デイリースポーツonline（二〇二四）「「やっぱり！」大谷翔平、妻公開　海外メディアは実名で紹介　元バスケ選手　身長、ゴール成功率なども詳細に　ＳＮＳ「お似合い」「好感が

持てる」」
https://www.daily.co.jp/mlb/2024/03/15/0017433667.shtml
（二〇二四年三月一五日アクセス）

*11 サンスポ（二〇二四）「谷原章介、大谷翔平〝妻〟写真投稿に興奮「奥さんの画像って出てこないんだろうなって…まさか」」
https://www.sanspo.com/article/20240315-CQSXUK3ULJB2PC73DYV774IXMA/
（二〇二四年三月一五日アクセス）

*12 日刊スポーツ（二〇二四）「【専門家の目】妻公開した大谷翔平の行動「最も喜んだのは…」イメージ戦略専門家が分析」
https://www.nikkansports.com/baseball/mlb/news/202403150001153.html
（二〇二四年三月一五日アクセス）

*13 湊彬子（二〇二一）「「主人」「旦那さん」に替わる言葉は必要？ 配偶者の呼称、みなさんはどうしていますか【２０００人アンケート】」HUFFPOST
https://www.huffingtonpost.jp/entry/story_jp_6037932cc5b67259f8940da5
（二〇二四年一月一日アクセス）

*14 遠藤織枝（一九八七）『気になる言葉』南雲堂、二三―五頁

浸彬子（二〇二一）「「主人」「旦那さん」に替わる言葉は必要？　配偶者の呼称、みなさんはどうしていますか【２０００人アンケート】」HUFFPOST https://www.huffingtonpost.jp/entry/story_jp_6037932cc5b67259f8940da5（二〇二四年一月一日アクセス）

＊２　坂野永理・池田庸子・大野裕・品川恭子・渡嘉敷恭子（二〇二〇）『初級日本語げんき［第３版］Ⅱ』ジャパンタイムズ出版、六四頁

＊３　中村桃子（一九九五）『ことばとフェミニズム』勁草書房、一五八頁

＊４　母親大会準備会編（一九五五）『たちあがる母のこえ――日本母親大会の記』母親大会準備会発行、三五頁

＊５　高木澄子・中嶋里美・三井マリ子・山口智美・山田満枝編（二〇一五）『編集復刻版　行動する女たちの会資料集成　第1巻』六花出版、三七頁

＊６　Oggi.jp（二〇二三）「「夫」は2位で21・6％。人前での配偶者の呼び方は？　旦那って呼び方は下品？【女性１００人にアンケート】」https://oggi.jp/6932193（二〇二四年一月一日アクセス）

＊７　文化審議会（国語分科会）（二〇〇七）『敬語の指針』文化庁、四二頁

＊８　Okamoto, Shigeko & Janet S. Shibamoto-Smith. 2016. *The Social Life of the Japanese Language: Cultural Discourses and Situated Practice*, 140. Cambridge: Cambridge University Press.

＊9　日刊ゲンダイ（二〇二二）「マツコも悩む「他人の配偶者」の呼び方」https://www.nikkan-gendai.com/articles/view/life/303976（二〇二三年一二月一五日アクセス）

＊10　才本淳子（二〇二一）「たまひよ、「主人」「旦那」やめた　ＴＤＬ園内放送も」『朝日新聞』https://www.asahi.com/articles/ASP473QC1P3VPTFC00Z.html（二〇二三年一二月一六日アクセス）

＊11　前田健輔（二〇二三）「「妻と呼んで」６割　実際35％」『日本経済新聞』二〇二三年三月二七日

＊12　高重治香・湊彬子（二〇一八）「「嫁」発言を「妻」と字幕　メディアが取り組む男女格差」『朝日新聞』https://www.asahi.com/articles/ASLDL042XLDKUPQJ011.html（二〇二三年一二月一五日アクセス、現在は公開終了）

＊13　伊丹市（二〇一九）『男女共同参画の視点から考える　表現ガイドライン』八頁 https://www.city.itami.lg.jp/material/files/group/22/representationGuidelines2.pdf（二〇二三年一二月一五日アクセス）

＊14　前田、前掲記事
井上真央・阪口彩子（二〇二二）「配偶者、なんて呼ぶ？　主人や奥さんに違和感、「適切な
刀ない」戸惑いも」『京都新聞』https://www.kyoto-np.co.jp/articles/-/724385
一四年一月一日アクセス）

＊

ちくまプリマー新書463

ことばが変《か》われば社会《しゃかい》が変《か》わる

二〇二四年 七 月十日 初版第一刷発行
二〇二四年十一月五日 初版第二刷発行

著者 中村桃子（なかむら・ももこ）

装幀 クラフト・エヴィング商會
発行者 増田健史
発行所 株式会社筑摩書房
東京都台東区蔵前二-五-三 〒一一一-八七五五
電話番号 〇三-五六八七-二六〇一（代表）
印刷・製本 中央精版印刷株式会社

ISBN978-4-480-68487-5 C0281 Printed in Japan